AF883501

प्राची

NEP 2020
एवं
NCF-SE 2023
के अनुरूप

राष्ट्रीय शिक्षा नीति (NEP 2020) एवं विद्यालय स्तर
की राष्ट्रीय पाठ्यचर्या की रूपरेखा (NCF-SE 2023)
के अनुरूप हिंदी व्याकरण की पाठ्यपुस्तक

हिंदी व्याकरण

3

डॉ० देवेंद्र कुमार शर्मा (सेवानिवृत)
केंद्रीय हिंदी संस्थान, आगरा

प्राची इंडिया प्रा० लिमिटेड
स्मार्ट बुक्स फॉर स्मार्ट लर्निंग

नवीनतम संस्करण

प्राची इंडिया प्रा० लिमिटेड
स्मार्ट बुक्स फॉर स्मार्ट लर्निंग

309, एलाइड हाउस, इंद्रलोक, दिल्ली-110035
फोन : 011-47320666 (8 लाइन)

web : www.prachiindia.com
e-mail : info@prachiindia.com
query : feedback@prachiindia.com

मुद्रक : ताज प्रेस, नई दिल्ली

प्राक्कथन

भाषा सीखने की प्रक्रिया बालक के घर से ही प्रारंभ हो जाती है और विद्यालय में वह उसे व्यावहारिक रूप में प्रयोग करना सीखता है। किसी भी भाषा का प्रभावी प्रयोग तभी संभव है जब उसका व्याकरणिक ज्ञान स्पष्ट हो। जिस प्रकार शरीर को सुचारू रूप से चलाने के लिए ज्ञान आवश्यक है, उसी प्रकार शुद्ध और मानक भाषा के प्रयोग के लिए व्याकरण का ज्ञान अनिवार्य है।

इसी उद्देश्य को ध्यान में रखते हुए **'प्राची हिंदी व्याकरण'** पुस्तक शृंखला की रचना की गई है। कक्षा 1 से 8 तक के विद्यार्थियों के लिए उपयोगी यह शृंखला नवीनतम पाठ्यक्रम पर आधारित और **राष्ट्रीय शिक्षा नीति 2020** के दिशा-निर्देशों के अनुरूप है। यह विद्यार्थियों के व्याकरणिक ज्ञान को मजबूत करने के साथ-साथ उन्हें हिंदी भाषा की समृद्धता और विविधता से भी परिचित कराती है।

प्राची हिंदी व्याकरण शृंखला का प्रमुख उद्देश्य विद्यार्थियों में हिंदी भाषा के प्रति रुचि उत्पन्न करना, व्याकरणिक नियमों को सहज रूप से समझाना तथा भाषा के शुद्ध और प्रभावी प्रयोग में दक्षता विकसित करना है ताकि विद्यार्थी व्याकरण जैसे जटिल विषय को सरलता से समझ सकें।

पुस्तक की मुख्य विशेषताएँ :

- **सरल एवं बोधगम्य भाषा :** विद्यार्थियों के स्तर के अनुरूप विषय-वस्तु का सरल, रोचक और सुग्राह्य भाषा में प्रस्तुतिकरण।
- **चित्रों और उदाहरणों का प्रयोग :** कठिन व्याकरणिक नियमों को रंगीन चित्रों और उपयुक्त उदाहरणों द्वारा सरल एवं स्पष्ट रूप से समझाया गया है।
- **नवीनतम और व्यावहारिक दृष्टिकोण :** यह शृंखला राष्ट्रीय शिक्षा नीति 2020 के अनुरूप तैयार की गई है जिसमें भाषा के संप्रेषणात्मक एवं प्रयोगात्मक पक्षों पर विशेष ध्यान दिया गया है।

- **रचनात्मकता और सृजनात्मकता का समावेश :** अभ्यास प्रश्नों में रचनात्मक गतिविधियाँ जोड़ी गई हैं, जो विद्यार्थियों के समग्र विकास को प्रोत्साहित करती हैं।
- **आत्ममूल्यांकन पर बल :** प्रत्येक पाठ के अंत में अभ्यास अनुभाग दिया गया है जिससे विद्यार्थी अपने ज्ञान का मूल्यांकन कर सकें और सुधार की दिशा में प्रेरित हो सकें।
- **यूनिट टेस्ट और अभ्यास प्रश्न-पत्र :** प्रत्येक पुस्तक में विद्यार्थियों को परीक्षा की दृष्टि से तैयार करने हेतु यूनिट टेस्ट और अभ्यास प्रश्न-पत्र दिए गए हैं जो उनके ज्ञान और समझ का मूल्यांकन करने में सहायक होंगे।
- **शिक्षकों और विशेषज्ञों का सहयोग :** इस श्रृंखला को तैयार करते समय शिक्षकों, व्याकरण के जानकारों और विद्यार्थियों के सुझावों को ध्यान में रखा गया है, जिससे यह पुस्तक अधिक व्यावहारिक और उपयोगी बन सके।

हमें आशा ही नहीं बल्कि विश्वास है कि हिंदी व्याकरण की यह श्रृंखला व्याकरण की सामान्यत: अन्य प्रकाशित पुस्तकों के बीच अपनी विशिष्ट पहचान बनाएगी और अध्यापकों तथा विद्यार्थियों के लिए सहायक सिद्ध होगी।

—लेखक

विषय-सूची

1 भाषा
(Language)

बच्चो! आपने देखा होगा कि हम अपने मन की बात बोलकर या लिखकर दूसरों के सामने प्रकट करते हैं। इसी प्रकार हम दूसरों की बात सुनकर या पढ़कर समझते हैं। इसके लिए हम भाषा का प्रयोग करते हैं।

नीचे दिए गए वाक्यों को पढ़िए—

नाना जी प्रार्थना कर रहे हैं—
"हे प्रभु! सभी के कष्टों को दूर करो।"

यश ने कहा—
"माँ, मुझे भूख लगी है, कुछ खाने को दो।"

पिता जी ने पत्र लिखा—
प्रिय मित्र,
आशा है तुम स्वस्थ होंगे। आजकल शहरों में महामारी फैल रही है। इससे बचकर रहना। कोई भी लक्षण दिखाई दे, तो तुरंत डॉक्टर को बताना।
तुम्हारा मित्र
आनंद शर्मा

दूरदर्शन की समाचार वाचिका ने मौसम के बारे में भविष्यवाणी की—
"आसमान में बादल छाए रहेंगे। रात को तेज़ वर्षा होने की संभावना है।"

मौसी जी ने अखबार में पढ़ा—
"कल मारुति इमारत में आग लग गई।"

उपरोक्त चित्रों में सभी लोग अपनी बात अलग-अलग ढंग से प्रकट कर रहे हैं।

इस प्रकार कहा जा सकता है—

भाषा वह साधन है जिसके द्‌वारा मनुष्य बोलकर अथवा लिखकर अपने मन के विचार और भावों को प्रकट करता है तथा दूसरों के विचार अथवा भावों को सुनकर या पढ़कर ग्रहण करता है।

इससे यह स्पष्ट होता है कि भाषा के दो रूप हैं—

भाषा के रूप (Forms of Language)

1. मौखिक भाषा | **2. लिखित भाषा**

1. **मौखिक भाषा (Oral Language) :** जब हम बोलकर अपनी बात दूसरों तक पहुँचाते हैं और सुनकर दूसरों की बात समझते हैं, तो वह भाषा का मौखिक रूप कहलाता है।
2. **लिखित भाषा (Written Language) :** जब हम लिखकर अपनी बात दूसरों तक पहुँचाते हैं, तो वह भाषा का लिखित रूप कहलाता है। भाषा का मौखिक रूप बच्चा अपने परिवार में ही सीख लेता है परंतु लिखित रूप सीखने के लिए उसे विशेष प्रयास करना पड़ता है।

भारत में अनेक भाषाएँ बोली, समझी एवं लिखी जाती हैं। हिंदी भारत की राजभाषा है। भारत के अधिकांश भागों में लोग हिंदी में ही अपने विचार प्रकट करते हैं।

भारत की अन्य प्रमुख भाषाएँ हैं—

संस्कृत	मराठी	गुजराती	सिंधी
पंजाबी	बांग्ला	असमी	उड़िया

दक्षिण भारत की भाषाएँ हैं—

तमिल	मलयालम	कन्नड़	तेलुगु

भारत में **अंग्रेज़ी** एवं **उर्दू** भाषा का भी खूब प्रयोग किया जाता है।

लिपि (Script)

प्रत्येक भाषा को लिखने की विधि भी अलग-अलग होती है। भाषा को लिखने की विधि लिपि कहलाती है। भारत देश में बोली जाने वाली अलग-अलग भाषाएँ अलग-अलग लिपियों में लिखी जाती हैं। जैसे हिंदी देवनागरी लिपि में लिखी जाती है तो अंग्रेज़ी रोमन लिपि में, उर्दू को फ़ारसी लिपि में लिखते हैं तो पंजाबी को गुरुमुखी में। इसी प्रकार गुजराती, मराठी, बांग्ला आदि भाषाएँ देवनागरी लिपि में लिखी जाती हैं।

आओ दोहराएँ

- भाषा वह साधन है, जिसके द्वारा मनुष्य बोलकर अथवा लिखकर अपने मन के विचार और भावों को प्रकट करता है तथा दूसरों के विचार अथवा भावों को सुनकर या पढ़कर ग्रहण करता है।
- भाषा के दो रूप हैं—1. मौखिक भाषा और 2. लिखित भाषा।
- हिंदी भारत की राजभाषा है।
- भाषा को लिखने की विधि लिपि कहलाती है।

अभ्यास

1. सही विकल्प चुनिए—

(क) केरल में कौन सी भाषा बोली जाती है?

(*i*) तमिल (*ii*) तेलुगु (*iii*) कन्नड़ (*iv*) मलयालम

(ख) बांग्ला भाषा को किस लिपि में लिखते हैं?

(*i*) देवनागरी (*ii*) रोमन (*iii*) फ़ारसी (*iv*) उर्दू

(ग) उड़ीसा की भाषा क्या कहलाती है?

(*i*) असमिया (*ii*) उड़िया (*iii*) मराठी (*iv*) मैथिली

(घ) लिपि किसे कहते हैं?

(*i*) व्याकरण को (*ii*) वाक्य को

(*iii*) भाषा लिखने की विधि को (*iv*) शब्द को

(ङ) कन्नड़ किस राज्य की भाषा है?

(*i*) तमिलनाडु की (*ii*) कर्नाटक की (*iii*) केरल की (*iv*) आंध्र प्रदेश की

2. सही शब्द चुनकर रिक्त स्थानों की पूर्ति कीजिए—

(क) हम अपने विचार ______________ के द्वारा प्रकट करते हैं। **(भाषा, व्याकरण)**

(ख) लिखकर अपनी बात कहना भाषा का ______________ रूप है। **(मौखिक, लिखित)**

(ग) उर्दू लिखने की लिपि ______________ कहलाती है। **(फ़ारसी, रोमन)**

(घ) तमिल, तेलुगु, कन्नड़ आदि ______________ भारत की भाषाएँ हैं। **(उत्तर, दक्षिण)**

(ङ) भाषा के मुख्यत: ______________ रूप होते हैं। **(दो, तीन)**

3. सही (✔) या गलत का (✗) निशान लगाइए—

(क) अखबार मौखिक भाषा का एक रूप है। ☐

(ख) भाषा लिखने की विधि लिपि कहलाती है। ☐

(ग) पूरे भारत में एक ही भाषा बोली जाती है। ☐

(घ) भाषा के मुख्यत: चार रूप होते हैं। ☐

(ङ) महाराष्ट्र की भाषा मराठी है। ☐

4. मिलान कीजिए—

(क)	हिंदी	(*i*)	गुरुमुखी
(ख)	उर्दू	(*ii*)	रोमन
(ग)	पंजाबी	(*iii*)	केरल
(घ)	अंग्रेज़ी	(*iv*)	फ़ारसी
(ङ)	मलयालम	(*v*)	देवनागरी

5. निम्नलिखित प्रश्नों के उत्तर लिखिए—

(क) तुम स्कूल में कौन-कौन सी भाषाएँ पढ़ते हो?

(ख) घर में बोलचाल के लिए किस भाषा का प्रयोग करते हो?

(ग) भारत में सबसे अधिक लोग किस भाषा को बोलते एवं समझते हैं?

(घ) भाषा का प्रमुख कार्य क्या है?

(ङ) लिपि किसे कहते हैं?

(च) भारत की राजभाषा क्या है?

रचनात्मक गतिविधि

- नीचे दी गई वर्ग-पहेली में से पाँच भाषाओं के नाम ढूँढ़कर लिखिए—

क	न	ब	ल	च	अ
न्न	प	मि	च	उ	स
ड़	त	ट	न	अं	मि
हिं	पं	जा	बी	ग्रे	या
दी	सं	स्कृ	त	ज़ी	मी

1. ____________________

2. ____________________

3. ____________________

4. ____________________

5. ____________________

2 व्याकरण
(Grammar)

बच्चो, व्याकरण हमें भाषा के नियमों का बोध कराता है तथा सही-सही बोलना, पढ़ना और लिखना सिखाता है।

नीचे दिए गए चित्र को देखो तथा वाक्यों को पढ़ो—

बच्चे प्राय: इसी प्रकार के वाक्यों का प्रयोग करते हैं। ये वाक्य अशुद्ध हैं।

इन्हें इस प्रकार होना चाहिए—
- छवि, मुझे तुमसे काम है।
- रोहन, तुम्हें मुझसे क्या काम है?

सोचो, वाक्यों या शब्दों की शुद्धता-अशुद्धता के बारे में हमें कैसे पता चलता है? उत्तर है— **व्याकरण** से। कई बार हम बोलते या लिखते समय गलत या अशुद्ध भाषा का प्रयोग करते हैं जिससे हमें अपनी बात समझाने और दूसरों की बात समझने में मुश्किल होती है। इसी मुश्किल को आसान बनाने में व्याकरण हमें भाषा का सही प्रयोग करना सिखाता है। अत: हम कह सकते हैं—

व्याकरण हमें शुद्ध रूप में लिखना, पढ़ना, बोलना एवं समझना सिखाता है। व्याकरण वह शास्त्र है जो हमें भाषा को शुद्ध रूप में प्रयोग करना सिखाता है।

व्याकरण से हमें निम्न के बारे में जानकारी मिलती है—

- वर्ण के बारे में
- शब्द के बारे में
- वाक्य के बारे में

आगे हम इन सभी के बारे में विस्तार से जानेंगे।

आओ दोहराएँ

- व्याकरण हमें शुद्ध रूप में लिखना, पढ़ना, बोलना एवं समझना सिखाता है।
- व्याकरण से हमें वर्ण, शब्द तथा वाक्य के बारे में जानकारी मिलती है।

अभ्यास

1. सही विकल्प चुनिए—

(क) वाक्यों अथवा शब्दों की शुद्धता व अशुद्धता का पता चलता है—

(*i*) भाषा से (*ii*) व्याकरण से (*iii*) संज्ञा से (*iv*) सर्वनाम से

(ख) व्याकरण में हमें किसके बारे में जानकारी मिलती है?

(*i*) वर्ण (*ii*) शब्द (*iii*) वाक्य (*iv*) उपर्युक्त सभी

(ग) 'मेरे को बहोत भूख लगी है।' इसका शुद्ध वाक्य होगा—

(*i*) मेरे को बहुत भूख लगा है। (*ii*) मेरे को भूख लगी है।

(*iii*) मुझे बहुत भूख लगी है। (*iv*) मुझको बहुत भूख लगी है।

(घ) '______________ तप करता है।' रिक्त स्थान के लिए उचित शब्द होगा—

(*i*) विद्यार्थी (*ii*) ऋषि (*iii*) माता (*iv*) पिता

2. इन वाक्यों को शुद्ध रूप में लिखिए—

(क) तुम तुम्हारे घर चले जाओ। ______________

(ख) मेरा कमीज़ सिल गया है। ______________

(ग) परमात्मा का पूजा करो। ______________

(घ) क्या कोई आम खाया? ______________

3. निम्नलिखित शब्दों का प्रयोग करते हुए शुद्ध रूप में वाक्य बनाइए—

(क) दूध — ______________

(ख) काम — ______________

(ग) डालियाँ — ______________

(घ) दर्द — ______________

(ङ) घर — ______________

4. नीचे लिखे वाक्यों में गलतियों को ढूँढ़कर उन्हें शुद्ध रूप में पुनः लिखिए—

(क) मैं दुध पिता हूँ। ______________________

(ख) मेरा सीर में दर्द है। ______________________

(ग) वो डालीयाँ ऊँचा है। ______________________

(घ) मैं मेरा काम कर लूँगा। ______________________

5. निम्नलिखित प्रश्नों के उत्तर लिखिए—

(क) व्याकरण किसे कहते हैं?

(ख) व्याकरण से हमें क्या जानकारी मिलती है?

(ग) अपनी व्याकरण की पुस्तक का नाम बताओ।

रचनात्मक गतिविधि

1. कोई दस अशुद्ध शब्दों को तालिका बनाकर शुद्ध रूप में अपनी अभ्यास पुस्तिका में लिखिए।
2. नीचे दिए गए चित्रों के लिए एक-एक शुद्ध वाक्य लिखिए।

____

____

____

____

3 वर्ण
(Alphabet)

हम अपनी बात वाक्यों में कहते हैं। प्रत्येक वाक्य में शब्दों का प्रयोग होता है और शब्द वर्णों के मेल से बनते हैं। अत: वर्ण भाषा की सबसे छोटी इकाई है, जिसके टुकड़े नहीं किए जा सकते।

जैसे—अ, इ, क, म, ल। इन्हीं वर्णों से मिलकर शब्द बनते हैं।

वर्णों का व्यवस्थित रूप वर्णमाला कहलाता है।

जब बच्चा छोटा होता है और बोलना प्रारंभ करता है, तब वह अपने मुख से कुछ ध्वनियाँ निकालता है। आरंभ में इन ध्वनियों का कोई अर्थ नहीं होता, पर धीरे-धीरे वह सार्थक ध्वनियाँ निकालने लगता है। फिर वह पूरा शब्द बोलने लगता है ओर इसके बाद छोटे-छोटे वाक्य।

आप पढ़ चुके हैं कि वर्ण दो प्रकार के होते हैं—

स्वर (Vowels)

स्वरों को बोलते समय किसी अन्य वर्ण की सहायता नहीं ली जाती।

हिंदी में कुल 11 स्वर हैं—

अ	आ	इ	ई	उ	ऊ
ऋ	ए	ऐ	ओ	औ	
अं	अः				

'अं' और 'अः'—ये दोनों **अयोगवाह** हैं। इनकी गिनती अब स्वरों में ही होती है।

'ड़' और 'ढ़', 'ड' और 'ढ' के विकसित रूप हैं। इनकी गिनती भी अब व्यंजनों में होती है।

व्यंजन (Consonants)

स्वरों की मदद से बोले जाने वाले वर्णों को व्यंजन कहते हैं।

हिंदी में कुल 35 व्यंजन हैं—

क	ख	ग	घ	ङ			कवर्ग
च	छ	ज	झ	ञ			चवर्ग
ट	ठ	ड	ढ	ण	ड़	ढ़	टवर्ग
त	थ	द	ध	न			तवर्ग
प	फ	ब	भ	म			पवर्ग
य	र	ल	व				अंतस्थ
श	ष	स	ह				ऊष्म
क्ष	त्र	ज्ञ	श्र	संयुक्त व्यंजन			
ऑ	ज़	फ़		आगत ध्वनियाँ			

संयुक्त व्यंजन (Conjunct Consonants)

स्वर रहित वर्णों का प्रयोग जब स्वर सहित व्यंजनों के साथ होता है, तब उन्हें संयुक्त व्यंजन कहते हैं। जैसे—

क्	+	ष	=	क्ष	क्षमा
त्	+	र	=	त्र	त्रिभुज
ज्	+	ञ	=	ज्ञ	ज्ञान
श्	+	र	=	श्र	श्रम

'अ' को छोड़कर शेष सभी स्वरों की मात्राएँ होती हैं। इन्हें व्यंजन के साथ लगाया जाता है।

स्वर	मात्रा	शब्द
अ	—	कम
आ	ा	काम
इ	ि	किस
ई	ी	कील
उ	ु	कुल
ऊ	ू	कूल

स्वर	मात्रा	शब्द
ऋ	ृ	कृषक
ए	े	केला
ऐ	ै	कैदी
ओ	ो	कोयल
औ	ौ	कौवा

जब व्यंजन को मात्रा के बिना लिखना हो तो उसके नीचे **हलंत (्)** लगाया जाता है;

जैसे— क् च् म् प्

क् + अ = क　　**क् + आ = का**

क् + इ = कि　　**क् + ई = की**

'र' में उ - ऊ की मात्रा

र् + उ (ु) = रुको　　**र् + ऊ (ू) = रूठना**

अनुस्वार (ं)—इसके उच्चारण में हवा केवल नाक से निकलती है;

जैसे— शंख, अंश, कंस, अंग, लंगूर, कंधा, डंडा

अनुनासिक (ँ)—इसके उच्चारण में हवा नाक और मुँह दोनों से निकलती है;

जैसे— पाँच, आँख, माँग, चाँद, महँगा, हँसना, माँगना

विसर्ग (:)—इसका उच्चारण 'ह्' के समान होता है।

जैसे— प्रातः, अतः, स्वतः

'र' के विभिन्न रूप

जैसे— प्रकार, ट्रक, धर्म = र् + अ + = र

आओ दोहराएँ

- वर्ण भाषा की सबसे छोटी इकाई है, जिसके टुकड़े नहीं किए जा सकते।
- वर्णों का व्यवस्थित रूप वर्णमाला कहलाता है।
- वर्ण दो प्रकार के होते हैं—स्वर व व्यंजन।
- स्वर सहित वर्णों का प्रयोग जब स्वर सहित व्यंजनों के साथ होता है, संयुक्त व्यंजन कहलाते हैं।
- व्यंजन को मात्रा के बिना लिखने के लिए उसके नीचे हलंत (्) लगाते हैं।

अभ्यास

1. सही विकल्प चुनिए—

(क) क्ष, त्र, ज्ञ, श्र क्या हैं?

(*i*) व्यंजन (*ii*) स्वर (*iii*) संयुक्त व्यंजन (*iv*) शब्द

(ख) ____________ को छोड़कर सभी स्वरों की मात्राएँ होती हैं।

(*i*) अ (*ii*) आ (*iii*) ओ (*iv*) औ

(ग) जब व्यंजन को मात्रा के बिना लिखना हो तो उसके नीचे ____________ लगाते हैं।

(*i*) हलंत (*ii*) रेफ (*iii*) छोटी उ (*iv*) बड़ी ऊ

(घ) अं, अः को क्या कहा जाता है?

(*i*) वर्णमाला (*ii*) अयोगवाह (*iii*) व्यंजन (*iv*) संयुक्त व्यंजन

2. रिक्त स्थानों की पूर्ति कीजिए—

(क) वर्ण भाषा की सबसे ____________ इकाई है। **(बड़ी, छोटी)**

(ख) स्वरों की संख्या ____________ हैं। **(ग्यारह, पंद्रह)**

(ग) हिंदी में कुल ____________ व्यंजन होते हैं। **(पैंतीस, छत्तीस)**

(घ) वर्णों का समूह ____________ कहलाता है। **(शब्द, वर्णमाला)**

3. मिलान कीजिए—

(क) आ	(*i*) कौआ
(ख) ई	(*ii*) कुत्ता
(ग) उ	(*iii*) कैलाश
(घ) ऐ	(*iv*) ईश्वर
(ङ) औ	(*v*) मालिक

4. सही (✔) या गलत (✗) का चिह्न लगाइए—

(क) राजीव ⟶ र + आ + ज + ई + व् + अ ☐

(ख) 'क्ष' एक संयुक्त व्यंजन है। ☐

(ग) वर्णों के समूह को व्याकरण कहते हैं। ☐

(घ) स्वरों में हलंत लगाया जाता है। ☐

(ङ) सभी स्वरों को छोड़कर केवल 'अ' की मात्रा होती है। ☐

5. नीचे लिखे वाक्यों के कुछ शब्दों में मात्राओं का प्रयोग छूट गया है। आप सही मात्रा लगाकर वाक्य को दुबारा लिखिए—

(क) मरा शरर मजबत हो गय है। ____________________

(ख) मुसबत में घबरान नह चाहए। ____________________

(ग) चौक दार पहरा दे रहा है। ____________________

6. 'ऋ' का ठीक प्रयोग करते हुए निम्नलिखित शब्दों को पुनः लिखिए—

(क) क्रिपा ⟶ कृपा

(ख) व्रिक्ष ⟶ ____________

(ग) क्रिषक ⟶ ____________

(घ) घ्रिणा ⟶ ____________

(ङ) रितु ⟶ ____________

(च) क्रिपाण ⟶ ____________

7. नीचे लिखे शब्दों में से सही शब्द पर गोला (◯) लगाइए—

(क) प्रशंसा	प्रसंशा	प्रषंशा
(ख) पीकनिक	पिकनिक	पिकनीक
(ग) कठिनाई	कठीनाई	कठिनाइ
(घ) चौकिदार	चोकीदार	चौकीदार

8. निम्नलिखित प्रश्नों के उत्तर लिखिए—

(क) वर्ण किसे कहते हैं?

(ख) वर्ण के कितने भेद हैं? उनके नाम भी बताओ।

(ग) संयुक्त व्यंजन से आप क्या समझते हैं? उदाहरण सहित बताइए।

रचनात्मक गतिविधि

1. नीचे दिए गए वृक्षों के फलों में स्वर तथा व्यंजन सुंदर-सुंदर अक्षरों में लिखिए—

स्वर

व्यंजन

2. अनुस्वार तथा अनुनासिक की सहायता से शब्द लिखिए—

अं (ं)
पंख

अँ (ँ)
पाँच

4

शब्द
(Word)

बच्चो, हम बोलते या लिखते समय अपनी भाषा में अनेक शब्दों का प्रयोग करते हैं। हर एक शब्द वर्णों के मेल से बनता है।

नीचे दिए गए चित्रों को देखो तथा शब्दों को पढ़ो—

र् + आ + ज् + आ = राजा

स् + क् + ऊ + ल् + अ = स्कूल

आपने देखा कि वर्णों के मेल से शब्द कैसे बनते हैं। दो या दो से अधिक वर्णों के सार्थक मेल से शब्द बनते हैं लेकिन उनका कोई अर्थ अवश्य होना चाहिए।

जैसे—

म + फ + ल = मफल

निरर्थक शब्द (बिना अर्थ का)

ब + त + ख = बतख

सार्थक शब्द (अर्थ सहित)

वर्णों का वह मेल, जिससे कोई अर्थ प्रकट हो, शब्द कहलाता है।

इसी प्रकार—

शब्द जब वाक्य में प्रयोग किए जाते हैं तब वे पद कहलाते हैं।

आओ, नए शब्द बनाएँ

धन	धनी	निर्धन	धनवान
मान	सम्मान	बुद्धिमान	अपमान
प्रसन्न	अप्रसन्न	प्रसन्नता	प्रसन्नचित
आदर	निरादर	अनादर	सादर

विपरीतार्थक शब्द (विलोम शब्द) (Antonyms)

विपरीतार्थक शब्द एक-दूसरे का उलटा अर्थ प्रकट करते हैं। जैसे—

नवीन	—	प्राचीन	पक्का	—	कच्चा	अँधेरा	—	उजाला
खट्टा	—	मीठा	लाभ	—	हानि	सरल	—	कठिन
छोटा	—	बड़ा	पाप	—	पुण्य	अच्छा	—	बुरा

'अ' लगाकर

योग्य	—	अयोग्य	सुंदर	—	असुंदर	प्रिय	—	अप्रिय
न्याय	—	अन्याय	पवित्र	—	अपवित्र	ज्ञान	—	अज्ञान
धर्म	—	अधर्म	कुशल	—	अकुशल	प्रसन्न	—	अप्रसन्न

'दुर्' लगाकर

दशा	—	दुर्दशा	गुण	—	दुर्गुण	दिन	—	दुर्दिन
बल	—	दुर्बल	भाग्य	—	दुर्भाग्य	व्यवहार	—	दुर्व्यवहार

'अन्' लगाकर

आदर	—	अनादर	इच्छा	—	अनिच्छा	उपस्थित	—	अनुपस्थित
उपयोगी	—	अनुपयोगी	उपजाऊ	—	अनुपजाऊ	उचित	—	अनुचित
आधार	—	अनाधार	अंत	—	अनंत	इच्छा	—	अनिच्छा

पर्यायवाची शब्द (Synonyms)

समान अर्थ वाले शब्दों को पर्यायवाची शब्द कहते हैं।

नीचे कुछ शब्दों के पर्यायवाची शब्द दिए जा रहे हैं, उन्हें पढ़िए—

कमल	सरोज	पंकज	पद्म
हवा	वायु	समीर	पवन
संसार	दुनिया	जग	जगत
धरती	भूमि	पृथ्वी	धरा
सूर्य	रवि	भास्कर	दिनकर
पानी	जल	नीर	वारि
भगवान	प्रभु	ईश्वर	परमात्मा
बादल	मेघ	घन	नीरद
पुत्री	सुता	बेटी	तनया
रात	रात्रि	निशा	रजनी

आकाश	नभ	गगन	आसमान
पहाड़	पर्वत	नग	गिरि
फूल	पुष्प	कुसुम	सुमन
चंद्रमा	शशि	सोम	मयंक
आँख	चक्षु	नेत्र	लोचन
दूध	दुग्ध	क्षीर	पय
माँ	जननी	अंबा	माता
समुद्र	सागर	जलधि	उदधि
आग	अग्नि	अनल	पावक
राजा	भूप	नरेश	सम्राट

अनेक शब्दों (वाक्यांश) के लिए एक शब्द (One Word Substitution)

कविता रचने वाली स्त्री	कवयित्री
जो ईश्वर को मानता हो	आस्तिक
जो ईश्वर को न मानता हो	नास्तिक
समाज की सेवा करने वाला	समाज-सेवक
वर्ष में एक बार होने वाला	वार्षिक
जिसमें कोई दोष न हो	निर्दोष
जिसमें बल न हो	निर्बल

आओ दोहराएँ

- वर्णों का वह मेल, जिससे कोई अर्थ प्रकट हो, शब्द कहलाता है।
- शब्द जब वाक्य में प्रयोग किए जाते हैं तब वे पद कहलाते हैं।
- विपरीतार्थक शब्द एक-दूसरे का उलटा अर्थ प्रकट करते हैं।
- समान अर्थ वाले शब्दों को पर्यायवाची शब्द कहते हैं।

अभ्यास

1. सही विकल्प चुनिए—

(क) 'आदर' शब्द का विलोम क्या है?

(*i*) निरादर (*ii*) सादर (*iii*) बिरादर (*iv*) खादर

(ख) 'प्रिय' का विलोम शब्द क्या है?

(*i*) प्रिया (*ii*) अप्रिय (*iii*) सुप्रिय (*iv*) जनप्रिय

(ग) कौन-सा शब्द 'फूल' का पर्यायवाची नहीं है?

(*i*) पुष्प (*ii*) सुमन (*iii*) कुसुम (*iv*) कमल

(घ) कौन-सा शब्द 'पानी' का पर्यायवाची है?

(*i*) अनिल (*ii*) वारि (*iii*) सरिता (*iv*) मेघ

(ङ) 'जो ईश्वर को मानता है'—इसके लिए एक शब्द क्या है?

(*i*) आस्तिक (*ii*) नास्तिक (*iii*) वास्तविक (*iv*) गुणास्तिक

(च) 'निर्बल' किसे कहेंगे?

(*i*) जिसमें कम बल हो (*ii*) जिसमें बल ही न हो
(*iii*) जिसमें बल हो (*iv*) जो डरपोक हो

2. रेखांकित शब्दों के विलोम शब्दों का प्रयोग करते हुए खाली स्थान भरिए—

(क) साइकिल धीमी सवारी है जबकि मोटरसाइकिल ____________ सवारी है।

(ख) अनिकेत की किताब पुरानी है और रितेश की किताब ____________ है।

(ग) टी०वी० पर अच्छी फिल्में भी दिखाई जाती हैं और ____________ फिल्में भी।

(घ) इस कमरे में बहुत अंधेरा है, जबकि बाहर अभी भी ____________ है।

(ङ) सूर्योदय पूरब में और सूर्यास्त ____________ में होता है।

3. सही विकल्प पर (✔) और गलत के सामने (✗) का चिह्न लगाइए—

(क) कविता रचने वाला कवि कहलाता है। ☐

(ख) भूमि का पर्यायवाची शब्द भास्कर होगा। ☐

(ग) ईश्वर को मानने वाला नास्तिक कहलाता है। ☐

(घ) कमल का पर्यायवाची शब्द पंकज होता है। ☐

(ङ) न्याय का विलोम शब्द अन्याय होता है। ☐

4. निम्नलिखित के दो-दो पर्यायवाची शब्द लिखिए—

(क) सूर्य — ____________ ____________

(ख) संसार — ____________ ____________

(ग) रात — ____________ ____________

(घ) पुत्री — ____________ ____________

(ङ) दूध — ____________ ____________

5. निम्नलिखित शब्दों के विलोम शब्द लिखिए—

(क) भाग्य × ____________

(ख) पाप × ____________

(ग) सरल × ____________

(घ) नवीन × ____________

(ङ) उपस्थित — ____________

6. निम्नलिखित प्रश्नों के उत्तर लिखिए—

(क) शब्द से तुम क्या समझते हो?

(ख) शब्द जब वाक्य में प्रयुक्त होते हैं तो क्या कहलाते हैं?

(ग) विलोम शब्द किसे कहते हैं?

(घ) समान अर्थ देने वाले शब्दों को क्या कहते हैं?

(ङ) वर्ष में एक बार होने वाला क्या कहलाता है?

रचनात्मक गतिविधि

1. नीचे दिए गए वर्णों से शुरू होने वाले दो-दो शब्द लिखिए—

स	____________	ब	____________
	____________		____________
इ	____________	श्र	____________
	____________		____________

2. दिए गए चित्रों के दो-दो पर्यायवाची शब्द वर्ग पहेली में ढूँढ़िए—

सा	त	आ	कौ	वा	का	आ
न	रा	म्र	कृ	ष	क	म
ज	जू	औ	र	त	म	कि
ल	क	ल	श	स	ल	सा
पा	लो	भ	म	हि	ला	न
नी	टा	पं	क	ज	तु	ला

5 संज्ञा
(Noun)

इस संसार में हम जितनी भी चीज़ें देखते हैं, उनके **नाम** अवश्य होते हैं। जैसे—

घर	लड़की	घड़ा	मोर	लालकिला	पेड़

ऊपर दिए सभी प्रकार के नामों को **संज्ञा** कहते हैं। इस प्रकार,

किसी व्यक्ति, प्राणी, वस्तु, स्थान या भाव के नाम को संज्ञा कहते हैं।

संज्ञा के कुछ अन्य उदाहरण—

व्यक्तियों के नाम	दिनेश, वर्षा, अकबर, गोविंद, धीरज
प्राणियों के नाम	मोर, गाय, भैंस, तोता, घोड़ा, हाथी
वस्तुओं के नाम	मेज़, कुरसी, घड़ा, पुस्तक, पेंसिल, चाबी
स्थान के नाम	आगरा, मुंबई, चेन्नई, जयपुर, रामपुर
भाव	बुढ़ापा, ईमानदारी, जवानी, ऊँचाई, सुंदरता

आओ दोहराएँ

- इस संसार में हम जितनी भी चीज़ें देखते हैं, उनके नाम अवश्य होते हैं।
- किसी व्यक्ति, प्राणी, वस्तु, स्थान या भाव के नाम को संज्ञा कहते हैं।

अभ्यास

1. सही विकल्प चुनिए—

(क) 'कुतुबमीनार' क्या है?

(*i*) एक इमारत (*ii*) एक प्राणी (*iii*) एक वस्तु (*iv*) एक भाव

(ख) 'बुढ़ापा' क्या है?

(*i*) एक वस्तु (*ii*) एक भाव (*iii*) एक नाम (*iv*) एक प्राणी

(ग) 'राहुल' क्या है?

(*i*) एक वस्तु का नाम (*ii*) एक भाव का नाम

(*iii*) एक व्यक्ति का नाम (*iv*) एक स्थान का नाम

(घ) 'संज्ञा' किसे कहते हैं?

(*i*) व्यक्ति के नाम को (*ii*) वस्तु के नाम को

(*iii*) भाव के नाम को (*iv*) इन सभी को

2. उचित संज्ञा शब्दों का प्रयोग करके चित्र से मेल करते हुए खाली स्थान भरिए—

(क) ____________ जल की रानी है।

(ख) मेरे प्रिय कवि का नाम ____________ है।

(ग) ____________ एक धार्मिक ग्रंथ है।

(घ) दिन के समय आकाश में ____________ चमकता है।

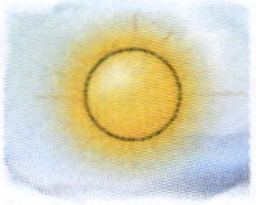

(ङ) रंजन प्रतिदिन ____________ का दूध पीता है।

3. लिखिए—

(क) भारत के चार नेताओं के नाम—

____________ ____________

____________ ____________

(ख) भारत की चार ऐतिहासिक इमारतों के नाम—

____________ ____________

____________ ____________

(ग) चार फलों के नाम—

_______________ _______________

_______________ _______________

(घ) चार शहरों के नाम—

_______________ _______________

_______________ _______________

(ङ) चार बालक/बालिकाओं के नाम—

_______________ _______________

_______________ _______________

(च) चार जानवरों के नाम—

_______________ _______________

_______________ _______________

(छ) दूध देने वाले दो पशुओं के नाम—

_______________ _______________

(ज) दो जंगली जानवरों के नाम—

_______________ _______________

4. निम्नलिखित शब्दों से वाक्य बनाइए—

(क) ताजमहल - _______________

(ख) मुंबई - _______________

(ग) प्रेमचंद - _______________

(घ) कलम - _______________

(ङ) पुस्तक - _______________

5. निम्नलिखित प्रश्नों के उत्तर लिखिए—

(क) संज्ञा किसे कहते हैं? उदाहरण सहित बताइए।

(ख) वर्तमान में हमारे देश के प्रधानमंत्री कौन हैं? नाम लिखो।

(ग) अपने राज्य के मुख्यमंत्री का नाम बताओ।

(घ) क्रिकेट के एक खिलाड़ी का नाम लिखो।

(ङ) राष्ट्रमंडल खेलों में स्वर्ण पदक विजेता किसी एक महिला खिलाड़ी का नाम लिखो।

6. नीचे दिए गए चित्रों के नाम (संज्ञा शब्द) लिखिए।

रचनात्मक गतिविधि

1. वर्ग-पहेली में से संज्ञा शब्द ढूँढ़कर लिखिए—

क	म	ल	ड्	चा	ट
शे	र	ड	म	रू	घ
को	ल	का	ता	घो	ड़ा
ब	च	ट	श्र	ज्ञ	इ

2. नीचे दिए गए संज्ञा शब्दों के चित्र लगाइए—

कुरसी खरगोश लालकिला टमाटर

यूनिट टेस्ट-I

(अध्याय 1 से 5 पर आधारित)

1. सही विकल्प चुनिए—

(क) कन्नड़ किस राज्य की भाषा है?

(*i*) तमिलनाडु की (*ii*) कर्नाटक की (*iii*) केरल की (*iv*) आंध्र प्रदेश की

(ख) वाक्यों अथवा शब्दों की शुद्धता व अशुद्धता का पता चलता है—

(*i*) भाषा से (*ii*) व्याकरण से (*iii*) संज्ञा से (*iv*) सर्वनाम से

(ग) क्ष, त्र, ज्ञ, श्र क्या हैं?

(*i*) स्वर (*ii*) व्यंजन (*iii*) संयुक्त व्यंजन (*iv*) शब्द

(घ) कौन-सा शब्द 'फूल' का पर्यायवाची नहीं है?

(*i*) पुष्प (*ii*) सुमन (*iii*) कुसुम (*iv*) जलज

(ङ) 'कुतुबमीनार' क्या है?

(*i*) एक प्राणी (*ii*) एक वस्तु (*iii*) एक भाव (*iv*) एक इमारत

2. सही शब्द चुनकर रिक्त स्थानों की पूर्ति कीजिए—

(क) हम अपने विचार ____________ के द्वारा प्रकट करते हैं। **(भाषा, व्याकरण)**

(ख) हिंदी में कुल ____________ व्यंजन होते हैं। **(21, 35)**

(ग) वर्णों का समूह ____________ कहलाता है। **(वर्णमाला, संज्ञा)**

(घ) सूर्योदय पूरब में और सूर्यास्त ____________ में होता है। **(पूरब, पश्चिम)**

(ङ) दिन के समय आकाश में ____________ चमकता है। **(तारे, सूरज)**

3. सही (✔) या गलत (✗) का चिह्न लगाइए—

(क) अखबार मौखिक भाषा का एक रूप है। ☐

(ख) अनुस्वार के उच्चारण में हवा केवल नाक से निकलती है। ☐

(ग) न्याय का विलोम शब्द अन्याय होता है। ☐

(घ) कविता रचने वाला कवि कहलाता है। ☐

(ङ) मेज़ एक वस्तु का नाम है। ☐

4. सही मिलान कीजिए—

(क) हिंदी	(*i*) मुंबई
(ख) औ	(*ii*) आस्तिक
(ग) योग्य	(*iii*) देवनागरी
(घ) स्थान का नाम	(*iv*) कौवा
(ङ) ईश्वर को मानने वाला	(*v*) अयोग्य

5. नीचे लिखे अशुद्ध वाक्यों को शुद्ध रूप में लिखिए—

(क) मैं किताब को हुँ पढ़ता।

(ख) उसका सीर में दर्द है।

(ग) मैं मेरा काम कर लूँगा।

(घ) मेरे को तेरे से कुछ काम था।

6. विलोम शब्द लिखिए—

(क) पाप × ____________________

(ख) नवीन × ____________________

(ग) सरल × ____________________

(घ) सोना × ____________________

7. निम्नांकित चित्रों के दो-दो पर्यायवाची शब्द लिखिए—

(क) 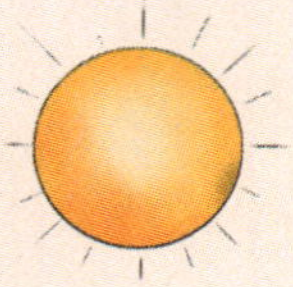 __________ __________

(ख)  __________ __________

(ग)  __________ __________

(घ) 

__________ __________

8. निम्नलिखित प्रश्नों के उत्तर लिखिए—

(क) भाषा का प्रमुख कार्य क्या है?

(ख) लिपि किसे कहते हैं?

(ग) व्याकरण से हमें किसके बारे में जानकारी मिलती है?

(घ) वर्ण के कितने भेद हैं? उनके नाम बताइए।

(ङ) शब्द से तुम क्या समझते हो?

(च) संज्ञा किसे कहते हैं?

(छ) भारत की कोई तीन ऐतिहासिक इमारतों के नाम लिखिए।

6 सर्वनाम
(Pronoun)

नीचे दिए गए अनुच्छेद को पढ़ो—

महात्मा गांधी को राष्ट्रपिता कहा जाता है। **महात्मा गांधी** ने भारत को स्वतंत्र कराया। **महात्मा गांधी** सत्य और अहिंसा के पुजारी थे। **महात्मा गांधी** का नाम सदा अमर रहेगा।

यहाँ अनुच्छेद के पहले वाक्य में महात्मा गांधी के नाम का उल्लेख तो ठीक प्रतीत होता है किंतु अन्य तीन वाक्यों में बार-बार उसी नाम का प्रयोग ठीक सा नहीं लग रहा है।

इन वाक्यों को इस प्रकार लिखा जाना चाहिए—

महात्मा गांधी को राष्ट्रपिता कहा जाता है। **उन्होंने** भारत को स्वतंत्र कराया। **वे** सत्य और अहिंसा के पुजारी थे। **उनका** नाम सदा अमर रहेगा।

अब अनुच्छेद के पहले वाक्य के बाद अन्य वाक्यों में महात्मा गांधी (नाम) के स्थान पर 'उन्होंने', 'वे' और 'उनका' आदि शब्दों का प्रयोग हुआ है। व्याकरण में ऐसे शब्दों को **सर्वनाम** कहते हैं।

संज्ञा के स्थान पर जिन शब्दों का प्रयोग किया जाता है, उन्हें सर्वनाम कहते हैं।

सर्वनाम का अर्थ है—सबका नाम। सर्वनाम शब्दों के प्रयोग से वाक्य सुंदर और सहज लगते हैं।

कुछ प्रमुख सर्वनाम—

मैं	हम
तुम	तुम्हारा
वह	वे
उनका	कौन
कोई	कुछ

आप	आपका
इस	उस
यहाँ	वहाँ
मुझे	मेरे
तुम्हें	तुमको

अपने से बड़ों और महान व्यक्तियों के प्रति सम्मान प्रकट करने के लिए सर्वनाम शब्द के बहुवचन रूप का प्रयोग करते हैं; जैसे—

मामा जी, आप कब आएँगे?

पापा, मेरे लिए खिलौने लाए।

जगतगुरु शंकराचार्य सबके गुरु हैं।

आओ दोहराएँ

- संज्ञा के स्थान पर जिन शब्दों का प्रयोग किया जाता है, उन्हें सर्वनाम कहते हैं।
- सर्वनाम शब्दों के प्रयोग से वाक्य सुंदर और सहज लगते हैं।
- मैं, हम, वह, उनका, कोई, आदि सर्वनाम शब्द हैं।

अभ्यास

1. सही विकल्प चुनिए—

(क) भैया, बाज़ार ____________ जा रहे हैं?

(*i*) कब (*ii*) कहाँ (*iii*) क्या (*iv*) कौन

(ख) स्वाति ने कहा, ____________ गृहकार्य कर लिया है।

(*i*) मैंने (*ii*) मैं (*iii*) मेरा (*iv*) मेरे

(ग) पापा से मिलने ____________ लोग आए हैं।

(*i*) कोई (*ii*) कई (*iii*) कौन (*iv*) वहाँ

(घ) प्रशांत पढ़ता है लेकिन ____________ बहुत शैतान है।

(*i*) वह (*ii*) उस (*iii*) उन (*iv*) इस

(ङ) सीता ____________ बहन के घर जा रही है।

(*i*) उसकी (*ii*) अपनी (*iii*) अपना (*iv*) कौन

2. नीचे लिखे अनुच्छेद में रेखांकित संज्ञा शब्दों के स्थान पर सर्वनामों का प्रयोग कीजिए—

एक दिन छवि विद्यालय से घर आ रही थी। छवि का ध्यान चूक गया और छवि गिर गई। छवि को अस्पताल ले जाया गया। डॉक्टर ने छवि को देखा। छवि की टाँग में पलस्तर लगाना पड़ा।

3. सर्वनाम के प्रयोग के अनुसार जो वाक्य सही हैं उनके आगे (✔) तथा जो गलत हैं उनके आगे (✗) का चिह्न लगाइए—

(क) वह अपनी बहन को प्यार करती है। ☐

(ख) मेरे पापा आज आएँगे। ☐

(ग) वे कॉलेज जा रहे होगा। ☐

(घ) हम सब सिनेमा चलोगे। ☐

(ङ) तुम लौटकर पढ़ाई करेगा। ☐

4. नीचे लिखे अनुच्छेद में आए सर्वनामों पर गोला लगाइए—

मैं देश का वीर बालक हूँ। बताओ, तुम कौन हो?

क्या खाने को कुछ लाए हो? वह बोल नहीं सकता।

बाहर कोई चिल्ला रहा है। उसे कौन ढूँढ़ने जाएगा?

वे भागे चले जा रहे हैं। उन्हें पकड़ो।

5. नीचे लिखे सर्वनाम शब्दों का अपने वाक्य में प्रयोग कीजिए—

(क) आप ____________________

(ख) तुम ____________________

(ग) मैं ____________________

(घ) हम ____________________

(ङ) वह ____________________

(च) कौन ____________________

(छ) कोई ____________________

(ज) वे ____________________

(झ) कुछ ____________________

(ञ) उन्होंने ____________________

6. निम्नलिखित प्रश्नों के उत्तर लिखिए—

(क) सर्वनाम की परिभाषा लिखिए।

(ख) कोई पाँच सर्वनाम शब्द लिखिए।

(ग) सर्वनाम शब्दों के प्रयोग से वाक्य पर क्या प्रभाव पड़ता है?

रचनात्मक गतिविधि

1. नीचे दिए गए सर्वनाम शब्दों की आकृतियों में अलग-अलग रंग भरिए।

तुम्हारा | कौन | जब | उस | हम

वह | मेरा | श्याम | क्या | वही

जया | हीरा | राम | सीता | तुम

2. सर्वनाम शब्दों का प्रयोग करते हुए अपने परिवार के बारे में कोई दस वाक्य लिखिए।

7 विशेषण
(Adjective)

नीचे दिए गए वाक्यों को पढ़िए—

- मेरे पास **नीले** रंग का बॉक्स है।
- इसमें **दो** पैंसिलें हैं।
- **लंबी** पेंसिल टूट गई है।
- रबर **छोटी** है।
- इसमें **दो मीटर** रिबन भी है।

इन वाक्यों में **नीले**, **दो**, **लंबी**, **छोटी** तथा **दो मीटर** शब्द किसी न किसी वस्तु की विशेषता बता रहे हैं। इस प्रकार हम कह सकते हैं—

जो शब्द संज्ञा या सर्वनाम की विशेषता बताते हैं, उन्हें विशेषण कहा जाता है। जिस शब्द (संज्ञा या सर्वनाम) की विशेषता बताई जाती है, उसे विशेष्य कहते हैं।

नीचे लिखे वाक्यों में विशेषण-विशेष्य की स्थिति देखिए—

	वाक्य	विशेषण	विशेष्य
1.	सफेद घोड़ा दौड़ता चला जा रहा है।	सफेद	घोड़ा
2.	मैं दो आम खाऊँगा।	दो	आम
3.	मीठा दूध पीना चाहिए।	मीठा	दूध
4.	दो किलो चीनी खरीदो।	दो किलो	चीनी
5.	टोकरी में कुछ सेब हैं।	कुछ	सेब

विशेषण किसी वस्तु या व्यक्ति के गुण-दोष के बारे में बताते हैं।

नीचे कुछ विशेषण शब्द दिए गए हैं—

गुण	—	अच्छा, भला, उदार, दयालु
दोष	—	बुरा, कठोर, बेईमान, आलसी, झूठा
आकार	—	लंबा, चौड़ा, पतला, गोल, तिरछा
स्वाद	—	मीठा, नमकीन, कड़वा, खट्टा
संख्या	—	दो, चार, छह, आठ, बीस, पचास, सौ
रूप-रंग	—	गोरा, काला, आकर्षक, सुंदर

अन्य विशेषण

छोटा, मोटा, पतला, वीर, कायर, भारी, चतुर, बुरा, भला, कुछ, पाँच, सात, हरा, नीला, रंगीन, दो मीटर, चार लीटर, दस ग्राम, सुनहरा आदि।

आओ दोहराएँ

- जो शब्द संज्ञा या सर्वनाम की विशेषता बताते हैं, उन्हें विशेषण कहा जाता है।
- जिस शब्द (संज्ञा या सर्वनाम) की विशेषता बताई जाती है, उसे विशेष्य कहते हैं।

अभ्यास

1. सही विकल्प चुनिए—

(क) 'काली कमीज़ सूख रही है।'**—इस वाक्य में विशेषण क्या है?**

(*i*) काली (*ii*) कमीज़ (*iii*) सूख (*iv*) रही है

(ख) 'मैं एक सेब रोज खाता हूँ।'**—इस वाक्य में विशेष्य क्या है?**

(*i*) मैं (*ii*) एक (*iii*) सेब (*iv*) खाता हूँ

(ग) मीठी मट्ठी खाओ।**—रेखांकित शब्द क्या है?**

(*i*) संज्ञा (*ii*) सर्वनाम (*iii*) विशेषण (*iv*) विशेष्य

(घ) वह चार समोसे खाएगा।**—रेखांकित शब्द क्या है?**

(*i*) सर्वनाम (*ii*) विशेष्य (*iii*) संज्ञा (*iv*) विशेषण

(ङ) 'कार्तिक बहुत बोलता है।'**—इस वाक्य में विशेषण है—**

(*i*) कार्तिक (*ii*) बोलता (*iii*) बहुत (*iv*) है

2. रिक्त स्थानों को भरिए—

(क) बाग में ____________ फूल खिला हुआ है। **(मुरझाया, सुंदर)**

(ख) मेरे पास कई ____________ किताबें हैं। **(मोटी, लंबी)**

(ग) करन अपने घर से ____________ पानी लाने गया है। **(एक बोतल, एक किलो)**

(घ) पंकज एक ____________ लड़का है। **(समझदार, चौड़ा)**

(ङ) पेड़ की डाली पर एक ____________ बंदर बैठा है। **(छोटा, लंबा)**

3. मिलान कीजिए—

विशेषण	**विशेष्य**
(क) नीला	(*i*) पहलवान
(ख) बहादुर	(*ii*) किसान
(ग) तगड़ा	(*iii*) बरगद
(घ) मेहनती	(*iv*) सिपाही
(ङ) विशाल	(*v*) आकाश

4. सही के आगे (✔) तथा गलत के आगे (✗) का चिह्न लगाइए—

(क) विशेषण केवल सर्वनाम की विशेषता बताते हैं। ☐

(ख) संज्ञा को विशेष्य भी कह सकते हैं। ☐

(ग) सर्वनाम विशेष्य नहीं हो सकता है। ☐

(घ) विशेषण किसी वस्तु या व्यक्ति की संख्या भी बताता है। ☐

(ङ) वस्तु का परिमाण या मात्रा बताना विशेषण का काम नहीं है। ☐

5. नीचे लिखे अनुच्छेद में से विशेषण-विशेष्य चुनकर लिखिए—

एक जंगल में दो बकरियाँ रहती थीं। वे गहरी नदी पर पानी पीने जाती थीं। नदी के किनारे हरी-भरी घास थी। काली बकरी पानी पीने लगी। भूरी बकरी दौड़ रही थी। तभी चालाक शिकारी आ गया। बकरियों ने उसे देख लिया। वे लंबे पेड़ के पीछे छिप गई। थोड़ी देर बाद शिकारी वहाँ से चला गया।

विशेषण	विशेष्य
______	______
______	______
______	______
______	______

6. निम्नलिखित प्रश्नों के उत्तर लिखिए—

(क) विशेषण किसे कहते हैं?

(ख) विशेष्य किसे कहते हैं?

रचनात्मक गतिविधि

1. वर्ग-पहेली से विशेषण बनाइए—

बु	मी	ठा	मो
ढ़ा	ते	ज	टा
पा	ला	ल	चा
ग	ख	टूटा	र
बे	ई	मा	न

1. ______ 2. ______
3. ______ 4. ______
5. ______ 6. ______
7. ______ 8. ______

2. चित्रों को देखकर उचित विशेषण लिखिए—

(क) ______

(ख) ______

(ग) ______

(घ) ______

(ङ) ______

(च) ______

8

क्रिया
(Verb)

दिए गए चित्रों को देखो और उनके नीचे लिखे वाक्यों को पढ़ो—

कनिका नाच रही है।

वर्षा हो रही है।

बालक तैर रहा है।

तेज हवा चल रही है।

उपर्युक्त वाक्यों में नाच रही है, हो रही है, तैर रहा है, चल रही है क्रिया शब्द हैं जिनसे किसी काम के होने का पता चल रहा है। कुछ काम तो किए जा रहे हैं ओर कुछ काम स्वयं हो रहे हैं; जैसे—

- **कनिका नाचने का काम कर रही है।**
- **बालक तैरने का काम कर रहा है।**
- **वर्षा स्वयं हो रही है।**
- **हवा स्वयं चल रही है।**

अत: ये सभी क्रियाएँ हैं।

क्रिया से किसी काम के होने या करने का पता चलता है।

इस प्रकार—

जिस शब्द से किसी काम के करने या होने का पता चले, उसे क्रिया कहते हैं।

कोई भी वाक्य क्रिया शब्द के बिना पूरा नहीं होता।

नीचे कुछ क्रिया शब्द दिए गए हैं—

उठना	देना	रखना	पाना	लेटना	नहाना	जागना
सुनना	उतरना	कहना	बढ़ना	गिरना	कूदना	सोना
खाना	रोना	चलना	हँसना	पढ़ना	गाना	बनाना
दौड़ना	आना	जाना	चढ़ना	तैरना	नाचना	लाना
लेना	बैठना	लिखना	सोचना	बोलना	पीना	रंगना

क्रिया का मूल रूप धातु कहलाता है :

जैसे— गा, खा, चल, लिख, रख, रो, हँस, पढ़, सोच, धो

'गा' से गाना

'खा' से खाना

'चल' से चलना

'लिख' से लिखना

'रख' से रखना

'रो' से रोना

'हँस' से हँसना

'पढ़' से पढ़ना

'सोच' से सोचना आदि।

आओ दोहराएँ

- जिस शब्द से किसी काम के करने या होने का पता चले, उसे क्रिया कहते हैं।
- क्रिया का मूल रूप धातु कहलाता है।

अभ्यास

1. सही विकल्प चुनिए—

(क) मैंने कविता पढ़ी।—रेखांकित शब्द क्या है?

(*i*) संज्ञा (*ii*) सर्वनाम (*iii*) विशेषण (*iv*) क्रिया

(ख) वह अपने विद्यालय गया।—इसमें क्रिया क्या है?

(*i*) वह (*ii*) अपने (*iii*) विद्यालय (*iv*) गया

(ग) क्रिया से क्या पता चलता है?

(*i*) आदमी के नाम का (*ii*) काम का

(*iii*) काम के दौरान का (*iv*) किसी और का

2. नीचे लिखे अनुच्छेद में क्रिया शब्दों के नीचे रेखा खींचिए—

हर्षित एक गाँव में रहता है।

वह प्रात:काल सैर करने जाता है।

आज उसने एक कुत्ता देखा।

उसने कुत्ते को रोटी खिलाई।

कुत्ता पूँछ हिलाने लगा।

हर्षित खुश हुआ।

वह अपने घर लौट गया।

3. उचित क्रिया शब्दों से रिक्त स्थानों को भरिए—

(क) कोयल पेड़ पर छुपकर ______ है। **(कूकती, नाचती)**

(ख) सूरज किताब ______ रहा है। **(पढ़, सुन)**

(ग) सड़क पर गाड़ियाँ ______ हैं। **(चलती, उड़ती)**

(घ) राकेश पार्क में ______ गया है। **(दौड़ने, नाचने)**

(ङ) जंगल में मोर ______ रहा है। **(नाच, उड़)**

4. निम्नलिखित क्रिया शब्दों का वाक्य में प्रयोग कीजिए—

(क) खेलना (ख) खाना (ग) पढ़ना (घ) चलना

(ङ) हँसना (च) दौड़ना (छ) उड़ना

5. निम्नलिखित प्रश्नों के उत्तर लिखिए—

(क) क्रिया किसे कहते हैं?

(ख) धातु से आप क्या समझते हैं?

रचनात्मक गतिविधि

1. वर्ग-पहेली में से क्रिया शब्द चुनकर लिखिए।

ब	ना	ना	धो	ना
धो	क	रो	ना	प
आ	ना	जा	ना	ना
सी	प	क	ड़	ना
प	ढ़	ना	आ	खा
ना	च	ना	आ	ना

2. चित्र देखकर खाली स्थान में क्रिया शब्दों को लिखिए—

9 लिंग
(Gender)

लिंग शब्द का अर्थ है— चिह्न या पहचान का साधन। इस प्रकार,

शब्द के जिस रूप से या चिह्न से पता चले कि वह शब्द पुरुष जाति या स्त्री जाति का है, उसे लिंग कहते हैं।

दिए गए चित्रों के नीचे लिखे वाक्यों को पढ़ो और अंतर समझो—

लड़का पढ़ रहा है।

लड़की पढ़ रही है।

अध्यापक पढ़ा रहे हैं।

अध्यापिका पढ़ा रही हैं।

सेठ जी नोट गिन रहे हैं।

सेठानी आभूषण देख रही है।

उपरोक्त वाक्यों में पुरुष जाति के शब्द हैं—लड़का, अध्यापक, सेठ जी और स्त्री जाति के शब्द हैं—लड़की, अध्यापिका तथा सेठानी।

इस प्रकार आपने देखा कि इन वाक्यों में कुछ शब्द **पुरुष जाति** के हैं और कुछ शब्द **स्त्री जाति** के। लिंग ही इन शब्दों की पहचान कराता है।

अतः हम कह सकते हैं कि **लिंग दो प्रकार के होते हैं— 1. पुल्लिंग और 2. स्त्रीलिंग।**

1. पुल्लिंग (Masculine Gender) : जो शब्द पुरुष जाति का बोध कराते हैं, वे **पुल्लिंग** कहलाते हैं।

2. स्त्रीलिंग (Feminine Gender) : जो शब्द स्त्री जाति का बोध कराते हैं, वे **स्त्रीलिंग** कहलाते हैं।

कुछ अन्य पुल्लिंग व स्त्रीलिंग शब्द—

पुल्लिंग	स्त्रीलिंग
सेवक	सेविका
लेखक	लेखिका
गायक	गायिका
अभिनेता	अभिनेत्री
कवि	कवयित्री
राजा	रानी
छात्र	छात्रा
शिक्षक	शिक्षिका
माली	मालिन
धोबी	धोबिन
शिष्य	शिष्या
बालक	बालिका

पुल्लिंग	स्त्रीलिंग
चिड़ा	चिड़िया
हिरन	हिरनी
बकरा	बकरी
ऊँट	ऊँटनी
बंदर	बंदरिया
चूहा	चुहिया
घोड़ा	घोड़ी
सिंह	सिंहनी
शेर	शेरनी
बाघ	बाघिन
मोर	मोरनी
हाथी	हथिनी

कुछ शब्द ऐसे होते हैं जिनके पुल्लिंग व स्त्रीलिंग बिलकुल अलग रूप में होते हैं। जैसे—

पुल्लिंग	स्त्रीलिंग
पिता	माता
पति	पत्नी
बैल	गाय
आदमी	औरत

पुल्लिंग	स्त्रीलिंग
पुरुष	स्त्री
श्रीमान	श्रीमती
सम्राट	सम्राज्ञी
नर	नारी

कुछ शब्द पुल्लिंग और स्त्रीलिंग में एक समान बने रहते हैं। जैसे—

राष्ट्रपति	प्रधानमंत्री	राजदूत	सैनिक	अफसर

लिंग की पहचान (Gender Identity)

वाक्य में प्रयोग करने पर लिंग का पता चल जाता है—

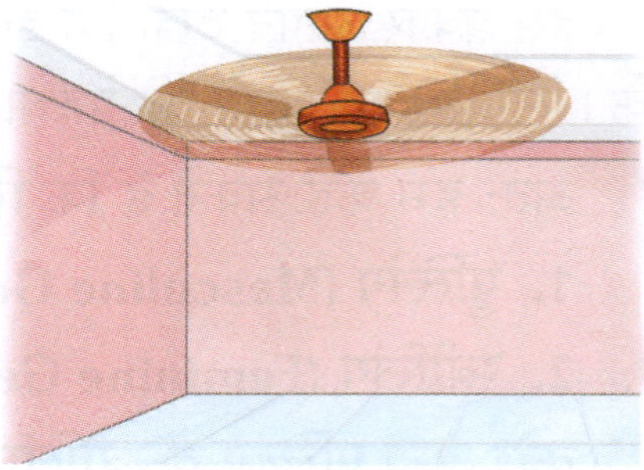

- पंखा चल **रहा है**। (**पंखा** — पुल्लिंग)
- बारिश हो **रही है**। (**बारिश** — स्त्रीलिंग)
- रास्ते में पत्थर **पड़ा था**। (**पत्थर** — पुल्लिंग)
- रास्ते में एक नदी **पड़ी**। (**नदी** — स्त्रीलिंग)

नीचे लिखे वाक्यों में लिंग परिवर्तन का प्रभाव देखिए—

1. मेरा **भाई** बहुत भोला है।
   मेरी **बहन** बहुत भोली है।

2. **बालक** गा रहा है।
   बालिका गा रही है।

3. उसका **नौकर** अभी नया है।
   उसकी **नौकरानी** अभी नयी है।

4. बेचारा **भिखारी** बैठा है।
   बेचारी **भिखारिन** बैठी है।

आओ दोहराएँ

- लिंग शब्द का अर्थ है—चिह्न या पहचान का साधन।
- शब्द के जिस रूप से या चिह्न से पता चले कि वह शब्द पुरुष जाति या स्त्री जाति का है, उसे लिंग कहते हैं।
- लिंग दो प्रकार के होते हैं—पुल्लिंग और स्त्रीलिंग।
- कुछ शब्द ऐसे होते हैं जिनके पुल्लिंग व स्त्रीलिंग बिलकुल अलग रूप में होते हैं।
- कुछ शब्द पुल्लिंग और स्त्रीलिंग में एक समान बने रहते हैं।

अभ्यास

1. सही विकल्प चुनिए—

(क) कवि का सही स्त्रीलिंग रूप क्या है?

(*i*) कवियत्री (*ii*) कवयित्री (*iii*) कवित्री (*iv*) कवियित्री

(ख) 'सम्राट' का सही स्त्रीलिंग रूप क्या है?

(*i*) सम्राज्ञी (*ii*) सम्राटी (*iii*) सम्राग्यी (*iv*) महारानी

(ग) 'पति' का सही स्त्रीलिंग रूप क्या है?

(*i*) पतनी (*ii*) पत्नी (*iii*) पत्नि (*iv*) पतिनी

2. मिलान कीजिए—

पुल्लिंग	**स्त्रीलिंग**
(क) हिरन	(*i*) सम्राज्ञी
(ख) सेवक	(*ii*) बंदरिया
(ग) सम्राट	(*iii*) लड़की
(घ) बंदर	(*iv*) हिरनी
(ङ) लड़का	(*v*) सेविका

3. पुल्लिंग और स्त्रीलिंग शब्दों को अलग-अलग घड़े में डालिए—

बूढ़ा	**गुड़िया**	**शिक्षिका**	**लेखक**	**छात्रा**	**घोड़ा**
सिंह	**सेवक**	**गायिका**	**बकरी**	**चोर**	**लेखिका**

4. लिंग बदलकर वाक्य में प्रयोग कीजिए—

(क) मोर — मोरनी घोंसला नहीं बनाती।

(ख) पिता — ____________

(ग) पुरुष — ____________

(घ) युवक — ____________

(ङ) बैल — ____________

(च) दादा — ____________

5. निम्नलिखित प्रश्नों के उत्तर लिखिए—

(क) लिंग किसे कहते हैं?

(ख) लिंग के कितने भेद होते हैं?

रचनात्मक गतिविधि

1. दिए गए शब्दों के सही जोड़े ढूँढ़कर लिखिए—

हाथी	**चिड़ा**	**पुरुष**	**चिड़िया**	**शेर**	**स्त्री**	**शेरनी**	**चुहिया**
चाचा	**पुजारी**	**चाची**	**कवयित्री**	**चूहा**	**कवि**	**पुजारिन**	**हथिनी**

स्त्रीलिंग	पुल्लिंग	स्त्रीलिंग	पुल्लिंग
____	____	____	____
____	____	____	____
____	____	____	____
____	____	____	____

2. पूरा वाक्य बदलकर स्त्रीलिंग रूप में लिखो। उदाहरण देखो, समझो और करो—

उदाहरण— कवि कविता पढ़ रहा था।
कवयित्री कविता पढ़ रही थी।

(क) घोड़ा घास चर रहा था। ____________

(ख) बंदर नाच रहा था। ____________

(ग) लड़का पढ़ता है। ____________

(घ) हाथी झूमता जा रहा है। ____________

अभ्यास प्रश्न-पत्र-1

(अध्याय 1 से 9 पर आधारित)

1. सही विकल्प चुनिए—

(क) बांग्ला भाषा किस लिपि में लिखते हैं?

(*i*) रोमन (*ii*) देवनागरी (*iii*) फ़ारसी (*iv*) उर्दू

(ख) 'आप हमारे साथ घर चलो।' इस वाक्य में सर्वनाम है—

(*i*) हमारे (*ii*) आप

(*iii*) साथ (*iv*) घर चलो

(ग) व्याकरण में हमें किसके बारे में जानकारी मिलती है?

(*i*) वर्ण (*ii*) शब्द

(*iii*) वाक्य (*iv*) उपर्युक्त सभी

(घ) 'लाल सेब खाओ।' इस वाक्य में रेखांकित शब्द क्या है?

(*i*) संज्ञा (*ii*) सर्वनाम (*iii*) विशेषण (*iv*) विशेष्य

(ङ) 'सम्राट' का स्त्रीलिंग रूप क्या है?

(*i*) सम्राटी (*ii*) सम्राग्यी (*iii*) महारानी (*iv*) सम्राज्ञी

2. कोष्ठक में से उचित शब्द चुनकर रिक्त स्थान भरिए—

(क) लिखकर अपनी बात कहना भाषा का ____________ रूप है। **(मौखिक, लिखित)**

(ख) ____________ भाषा की सबसे छोटी इकाई है। **(शब्द, वर्ण)**

(ग) पापा से मिलने ____________ लोग आए हैं। **(कोई, कई)**

(घ) बाग में ____________ फूल खिला हुआ है। **(मुरझाया, सुंदर)**

(ङ) सड़क पर गाड़ियाँ ____________ हैं। **(चलती, उड़ती)**

3. सही (✔) या गलत (✗) का चिह्न लगाइए—

(क) भाषा लिखने की विधि लिपि कहलाती है। ☐

(ख) 'क्ष' एक संयुक्त व्यंजन है। ☐

(ग) ईश्वर को मानने वाला नास्तिक कहलाता है। ☐

(घ) विशेषण केवल सर्वनाम की विशेषता बताते हैं। ☐

(ङ) 'कवि' का स्त्रीलिंग रूप 'कवयित्री' होता है। ☐

4. सही मिलान कीजिए—

(क) संस्कृत	(*i*) बंदरिया
(ख) व्यंजन	(*ii*) क्रिया
(ग) बहादुर	(*iii*) च
(घ) पढ़ना	(*iv*) देवनागरी
(ङ) बंदर	(*v*) सिपाही

5. नीचे लिखे वाक्यों में क्रिया शब्दों के नीचे रेखा खींचिए—

(क) सड़क पर गाड़ियाँ चलती हैं। (ख) वह किताब पढ़ता है।

(ग) आनंद चित्र बनाता है। (घ) छवि गाना गाती है।

6. लिंग बदलिए—

(क) बालक — ______________ (ख) मोर — ______________

(ग) छात्र — ______________ (घ) आदमी — ______________

7. नीचे दिए अनेक शब्दों के लिए एक शब्द लिखिए—

(क) जिसमें बल न हो — ______________

(ख) वर्ष में एक बार होने वाला — ______________

8. निम्नलिखित प्रश्नों के उत्तर लिखिए—

(क) लिपि किसे कहते हैं?

(ख) वर्ण किसे कहते हैं? वर्ण के कितने भेद हैं?

(ग) समान अर्थ देने वाले शब्दों को क्या कहते हैं?

(घ) सर्वनाम की परिभाषा लिखिए।

(ङ) धातु से आप क्या समझते हैं?

(च) लिंग किसे कहते हैं?

10 वचन
(Number)

ऊपर बने चित्र को ध्यान से देखो और बताओ कि एक की संख्या में कौन-कौन हैं तथा एक से अधिक की संख्या में कौन-कौन हैं?

एक ____________________ ____________________

____________________ ____________________

अनेक ____________________ ____________________

____________________ ____________________

शब्द के जिस रूप से एक या एक से अधिक संख्या का पता चले, उसे वचन कहते हैं।

यह खिलौना है।

मेज़ पर गुलदस्ता रखा है।

ये खिलौने हैं।

मेज़ पर गुलदस्ते रखे हैं।

उपर्युक्त चित्रों में खिलौना, खिलौने, गुलदस्ता, गुलदस्ते से एक और एक से अधिक होने का पता चल रहा है। जैसे—

खिलौना	एक	खिलौने	अनेक
गुलदस्ता	एक	गुलदस्ते	अनेक

इस प्रकार हिंदी में वचन दो हैं—

वचन के भेद (Kinds of Number)

1 एकवचन

2 बहुवचन

1. एकवचन (Singular Number)

बालिका कुरसी पर बैठी है।

पिताजी अखबार पढ़ रहे हैं।

बच्चा आइसक्रीम खा रहा है।

नौकरानी झाड़ू लगा रही है।

उपर्युक्त सभी चित्रों में तथा उनके वाक्यों में बालिका, पिताजी, बच्चा, तथा नौकरानी एक होने का बोध करा रहे हैं। अतः ये सब एकवचन हैं।

इस प्रकार—

शब्द के जिस रूप से किसी व्यक्ति या वस्तु के एक होने का पता चलता है, उसे एकवचन कहते हैं।

2. बहुवचन (Plural Number)

बालिकाएँ कुरसियों पर बैठी हैं।

कुत्ते भौंक रहे हैं।

बच्चे आइसक्रीम खा रहे हैं।

पेड़ों से पत्ते गिर रहे हैं।

इन सभी चित्रों में तथा उनके वाक्यों में एक से अधिक होने का बोध हो रहा है; अतः उपरोक्त सभी चित्र बहुवचन के हैं। जैसे—बालिकाएँ, कुरसियों, कुत्ते, बच्चे, पेड़ों और पत्ते। इस प्रकार—

शब्द के जिस रूप से व्यक्ति या वस्तु के एक से अधिक होने का पता चलता है, उसे बहुवचन कहते हैं।

वचन-परिवर्तन तालिका (Change in Number)

एकवचन	बहुवचन	
बात	बातें	बातों
पत्नी	पत्नियाँ	पत्नियों
कविता	कविताएँ	कविताओं
रात	रातें	रातों
पुस्तक	पुस्तकें	पुस्तकों
गधा	गधे	गधों
वस्तु	वस्तुएँ	वस्तुओं
गाय	गाएँ	गायों
टोपी	टोपियाँ	टोपियों

एकवचन	बहुवचन	
आँख	आँखें	आँखों
अध्यापिका	अध्यापिकाएँ	अध्यापिकाओं
महिला	महिलाएँ	महिलाओं
बहन	बहनें	बहनों
सड़क	सड़कें	सड़कों
सेना	सेनाएँ	सेनाओं
घोड़ा	घोड़े	घोड़ों
रुपया	रुपए	रुपयों
पत्ती	पत्तियाँ	पत्तियों

एकवचन	बहुवचन	
छाता	छाते	छातों
देवी	देवियाँ	देवियों
ऋतु	ऋतुएँ	ऋतुओं
गुरु	गुरुजन	—
अध्यापक	अध्यापकों	अध्यापकगण

एकवचन	बहुवचन	
बहू	बहुएँ	बहुओं
लड़की	लड़कियाँ	लड़कियों
विद्यार्थी	विद्यार्थियों	विद्यार्थीगण
कवि	कवियों	कविगण
रात	रातें	रातों

सर्वनामों के वचन-परिवर्तन

मैं	हम	वह	वे
उसने	उन्होंने	यह	ये

विशेषण के वचन-परिवर्तन

अच्छा	अच्छे	मीठा	मीठे
सीधा	सीधे	ऊँचा	ऊँचे
छोटा	छोटे	भोला	भोले
कच्चा	कच्चे	कड़वा	कड़वे

कई शब्द बहुवचन में ही प्रयुक्त होते हैं—

- उसके **आँसू** रुकते ही नहीं थे।
- आज आपके **दर्शन** हुए।
- उसने **हस्ताक्षर** कर दिए।

इसके अतिरिक्त कुछ शब्दों का एकवचन और बहुवचन रूप एक भी हो सकता है।

जैसे—बंदर, आदमी, अध्यापक, चावल, पेड़, अमरूद, आम, हाथी, पलंग, बैल

उदाहरण— **बंदर** पेड़ पर बैठा है। **(एकवचन)**
बंदर पेड़ पर बैठे हैं। **(बहुवचन)**

किसी व्यक्ति को आदर देने के लिए भी बहुवचन का प्रयोग किया जाता है; जैसे—

- माता जी आ रही हैं।
- नेता जी बोल रहे हैं।
- गांधी जी अहिंसा के पुजारी थे।

कई शब्द एकवचन में ही प्रयुक्त होते हैं; जैसे—

- बहुत तेज़ **बारिश** हो रही है।
- **जनता** शांत नहीं बैठेगी।
- चारों ओर **पानी** भर गया।
- बहुत **दूध** बह गया।
- **आकाश** में काले बादल छाए हैं।

आओ दोहराएँ

- शब्द के जिस रूप से एक या एक से अधिक संख्या का पता चले, उसे वचन कहते हैं।
- शब्द के जिस रूप से किसी व्यक्ति या वस्तु के एक होने का पता चलता है, उसे एकवचन कहते हैं।
- शब्द के जिस रूप से व्यक्ति या वस्तु के एक से अधिक होने का पता चलता है, उसे बहुवचन कहते हैं।
- किसी व्यक्ति को आदर देने के लिए बहुवचन का प्रयोग किया जाता है।

अभ्यास

1. सही विकल्प चुनिए—

(क) 'मिठाई' का सही बहुवचन रूप क्या है?

(*i*) मिठाइयाँ (*ii*) मिठाईया (*iii*) मिठोइयाँ (*iv*) मिट्ठी

(ख) 'खिड़कियाँ' का एकवचन रूप क्या होगा?

(*i*) खिड़की (*ii*) खड़की (*iii*) खिड़क (*iv*) खिड़कि

(ग) 'शास्त्री जी महान व्यक्ति थे।'—यह वाक्य किस वचन में है?

(*i*) एकवचन में (*ii*) बहुवचन में (*iii*) आदरार्थ बहुवचन में (*iv*) अन्य

(घ) 'लड्डू' का सही बहुवचन रूप क्या है?

(*i*) लड्डओं (*ii*) लड्डुओं (*iii*) लड्डों (*iv*) लड्डूबों

2. कोष्ठक में दिए गए शब्द के बहुवचन रूप से रिक्त स्थान भरिए—

(क) पुलिस ने अचानक ______________ को पकड़ लिया। **(डाकू)**

(ख) हिमालय से अनेक ______________ निकलती हैं। **(नदी)**

(ग) कूड़े के ढेर पर ______________ भिनभिना रही थीं। **(मक्खी)**

(घ) दर्शक ______________ पर बैठे हैं। **(कुरसी)**

(ङ) प्रिया के पास ______________ का गुलदस्ता है। **(फूल)**

3. नीचे लिखे वाक्यों में गलत शब्दों पर (✗) का चिह्न लगाइए—

(क) एक वर्ष में छह ऋतुएँ/ऋतुओं आती हैं।

(ख) भारत में अनेक नदियाँ/नदियों हैं।

(ग) बच्चा/बच्चे दौड़ रहे हैं।

(घ) लड़कियाँ/लड़कियों ने गाना सुनाया।

(ङ) उसकी आँखों/आँखें बहुत बड़ी हैं।

4. इन वाक्यों के वचन बताओ—

(क) दादा जी सो रहे हैं। ______________

(ख) गाएँ घास चर रही हैं। ______________

(ग) स्कूल में अनेक विद्यार्थी पढ़ते थे। ______________

(घ) राजकुमार का हृदय पिघल गया। ______________

(ङ) उसके साथी फल तोड़ने लगे। ______________

5. निम्नलिखित वाक्यों को बहुवचन में बदलो—

(क) मुझे हरा पौधा अच्छा लगता है। ______________

(ख) नीम का पेड़ कट गया। ______________

(ग) घोड़ा दौड़ रहा है। ______________

(घ) बच्चा रो रहा है। ______________

(ङ) लड़का खेल रहा है। ______________

6. निम्नलिखित प्रश्नों के उत्तर लिखिए—

(क) वचन किसे कहते हैं?

(ख) वचन के कितने भेद हैं?

(ग) एकवचन किसे कहते हैं?

(घ) बहुवचन किसे कहते हैं?

रचनात्मक गतिविधि

1. चित्र देखकर उनके वचन के अनुसार नाम लिखिए—

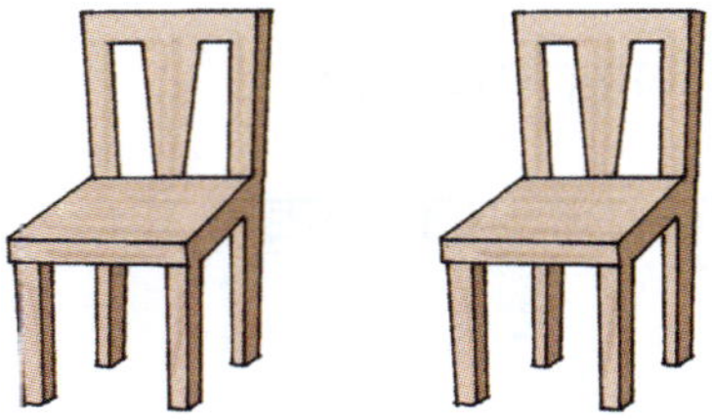

2. अपने घर में रखी कोई दस वस्तुओं को वचन के अनुसार तालिका बनाकर लिखिए।

11 वाक्य
(Sentence)

नीचे दिए गए वाक्यों को पढ़ो—

1. पी चाय मैंने कल।

2. पढ़ती है पुस्तक छवि एक।

आपने देखा कि ये दोनों वाक्य पढ़ने में बड़े अटपटे से लग रहे हैं। इनके अर्थ भी स्पष्ट नहीं हो रहे हैं। सोचो ऐसा क्यों है?

इन वाक्यों में शब्दों को व्याकरण के नियमों के अनुसार सही क्रम में नहीं लिखा गया है।

इन्हें इस प्रकार लिखा जाना चाहिए था—

1. मैंने कल चाय पी।

2. छवि एक पुस्तक पढ़ती है।

इस प्रकार—

शब्दों का सार्थक समूह वाक्य कहलाता है।

- जब शब्दों का प्रयोग वाक्य में किया जाता है, तब वे पद कहलाते हैं।
- जिन शब्दों का पूरा अर्थ समझ में आ जाए, वही शब्द-समूह वाक्य कहलाता है।
- वाक्य के बिना कोई भाषा बन ही नहीं सकती।
- किसी को अपनी बात समझाने के लिए शुद्ध वाक्यों का प्रयोग करना आवश्यक है।
- वाक्य में प्रयुक्त शब्दों का उच्चारण भी शुद्ध होना चाहिए।
- वाक्य के अंत में क्रिया आती है।

आगे कुछ अशुद्ध वाक्यों के शुद्ध रूप दिए जा रहे हैं—

अशुद्ध वाक्य	शुद्ध वाक्य
मेरे को जाना है।	मुझे जाना है।
तुम तुम्हारे घर चले जाओ।	तुम अपने घर चले जाओ।
तेरे को क्या चाहिए।	तुम्हें क्या चाहिए।
आज बुद्धवार का दिन है।	आज बुद्धवार है।
बच्चे को काटकर सेब खिलाओ।	सेब काटकर बच्चे को खिलाओ।
मुझे एक फूलों की माला चाहिए।	मुझे फूलों की एक माला चाहिए।
यहाँ शुद्ध गाय का दूध मिलता है।	यहाँ गाय का शुद्ध दूध मिलता है।
मेरे माता जी आए हैं।	मेरी माता जी आई हैं।
मुझे एक गरम गिलास दूध चाहिए।	मुझे एक गिलास गरम दूध चाहिए।
डर के मारे मेरा प्राण निकल गया।	डर के मारे मेरे प्राण निकल गए।
मैं पढ़ाई किया।	मैंने पढ़ाई की।
हमारी अध्यापिका अच्छा पढ़ाता है।	हमारी अध्यापिका अच्छा पढ़ाती हैं।
मैंने चाय पीली थी।	मैंने चाय पी ली थी।
यह गलती किसने करा है?	यह गलती किसने की है?
मैंने अपना जन्मदिन बनाया।	मैंने अपना जन्मदिन मनाया।
मेरा नाना जी कल आएगा।	मेरे नाना जी कल आएँगे।

ऊपर दिए गए वाक्यों से आप जान चुके होंगे कि वाक्य में शब्दों का क्रम बदल देने से वाक्य का पूरा अर्थ बदल जाता है; जैसे—

1. **अशुद्ध** — मैंने बाघ में एक बाग देखा।

(इस प्रकार के वाक्य को निरर्थक कहा जाता है)

शुद्ध — मैंने बाग में एक बाघ देखा। **(सार्थक वाक्य)**

2. **अशुद्ध** — यहाँ दस साल पुरानी मिठाइयों की दुकान है। **(निरर्थक)**

शुद्ध — यहाँ मिठाइयों की दस साल पुरानी दुकान है। **(सार्थक वाक्य)**

जो शब्दों का समूह क्रम से लगा हो और उस शब्द समूह का अर्थ समझ आ रहा हो **सार्थक वाक्य** कहलाता है और जो शब्दों का क्रम आगे-पीछे अर्थात् क्रम से न लगा हो वह **निरर्थक वाक्य** कहलाता है।

आओ दोहराएँ

- शब्दों का सार्थक समूह वाक्य कहलाता है।
- जब शब्दों का प्रयोग वाक्य में किया जाता है, तब वे पद कहलाते हैं।
- वाक्य में शब्दों का क्रम बदल देने से वाक्य का पूरा अर्थ बदल जाता है।

अभ्यास

1. सही विकल्प चुनिए—

(क) (*i*) क्या तुमने हस्ताक्षर किया? (*ii*) हस्ताक्षर किया क्या तुमने?
(*iii*) क्या तुमने हस्ताक्षर किए? (*iv*) हस्ताक्षर किए क्या तुमने?

(ख) (*i*) मैं मेरा काम कर रहा हूँ। (*ii*) मेरा काम मैं कर रहा हूँ।
(*iii*) मैं अपना काम कर रहा हूँ। (*iv*) कर रहा हूँ मैं अपना काम।

(ग) (*i*) मेरा तो प्राण निकल गया। (*ii*) मेरे तो प्राण निकल गए।
(*iii*) प्राण निकल गए मेरे तो। (*iv*) निकल गए प्राण मेरे तो।

(घ) (*i*) हमने यह काम करना है। (*ii*) हमें यह काम करना है।
(*iii*) यह काम हमें करना है। (*iv*) करना है यह काम हमें।

(ङ) (*i*) क्या तुम पटना जाओगे? (*ii*) पटना जाओगे क्या तुम?
(*iii*) तुम पटना जाओगे क्या? (*iv*) जाओगे क्या तुम पटना?

2. रिक्त स्थान भरिए—

(क) जब शब्दों का प्रयोग वाक्य में होता है तो वे ____________ कहलाते हैं। **(पद, संज्ञा)**

(ख) क्रिया वाक्य के ____________ में आती है। **(प्रारंभ, अंत)**

(ग) शब्दों का ____________ समूह ही वाक्य है। **(सार्थक, व्यर्थ)**

(घ) व्याकरण के नियमों से वाक्य ____________ होता है। **(शुद्ध, अशुद्ध)**

(ङ) जिन शब्दों का पूरा अर्थ समझ में आ जाए, वही शब्द-समूह ____________ कहलाता है। **(शब्द, वाक्य)**

3. नीचे लिखे वाक्यों में शब्दों को सही क्रम में लिखिए—

(क) गुलाबी रंग का कोट है मेरा।

____

(ख) रहा था खाना खा पवन।

____

(ग) चाहिए का टीका पोलियो लगवाना।

____

(घ) है अंकिता कक्षा प्रथम आई में।

____

4. निम्नलिखित वाक्यों को शुद्ध करके लिखिए—

(क) मैं मेरा काम कर रहा हूँ।

____

(ख) तेरे को जलेबी पसंद है?

____

(ग) मैं टी०वी० देख रहा है।

____

(घ) कल पार्क पर मंत्री जी का दर्शन हुआ।

____

(ङ) माता-पिता का सेवा करना चाहिए।

____

5. निम्नलिखित प्रश्नों के उत्तर लिखिए—

(क) वाक्य से तुम क्या समझते हो?

(ख) पद किसे कहते हैं?

(ग) वाक्य में क्रिया कहाँ आती है?

रचनात्मक गतिविधि

1. कोई दस अशुद्ध वाक्यों को शुद्ध करके अपनी अभ्यास पुस्तिका में लिखिए।
2. कुछ अशुद्ध और शुद्ध वाक्यों के बारे में अपने मित्रों के साथ चर्चा कीजिए।

12 मुहावरे
(Idioms)

नीचे दिए गए अनुच्छेद को पढ़ो और रंगीन छपे अंशों पर विशेष ध्यान दो—

एक बार की बात है। हम मसूरी घूमने गए। वहाँ हमने घुड़सवारी करने का **मन बनाया**। मेरा घोड़ा जल्दी ही **हवा से बातें करना लगा**। सामने गहरी खाई देखकर मेरे तो **प्राण सूख गए**। तभी घोड़ेवाले ने **जान पर खेलकर** मुझे बचा लिया। मेरी **खुशी का ठिकाना** न रहा। मैंने घोड़ेवाले की **पीठ थपथपाई** और उसकी **दाद दी**।

क्या तुमने रंगीन छपे अंशों पर ध्यान दिया? इनके प्रयोग से घटना का वर्णन अत्यंत आकर्षक, प्रभावशाली एवं रोचक बन गया है।

ये रंगीन छपे अंश मुहावरे हैं। मुहावरों के प्रयोग से भाषा अधिक प्रभावशाली बन जाती है।

नीचे लिखे वाक्यों में अंतर समझो—

	मुहावरे के बिना वाक्य		**मुहावरे के प्रयोग सहित वाक्य**
•	चोर पुलिस को देखते ही भाग गया।		चोर पुलिस को देखते ही **नौ-दो ग्यारह** हो गया।
•	अपने खोए हुए बच्चे को पुन: पाकर माँ बहुत प्रसन्न हुई।		अपने खोए हुए बच्चे को पाकर माँ **फूली न समाई**।

	मुहावरे के बिना वाक्य		मुहावरे के प्रयोग सहित वाक्य
•	दुर्घटना में ड्राइवर को कोई चोट नहीं पहुँची।		दुर्घटना में ड्राइवर का **बाल भी बाँका नहीं** हुआ।

आपने दोनों प्रकार के वाक्यों के प्रभाव के अंतर को भली-भाँति समझ लिया होगा।

नीचे कुछ प्रमुख मुहावरे, उनके अर्थ तथा वाक्य-प्रयोग दिए जा रहे हैं। आप इन्हें अपने बनाए वाक्यों में प्रयोग करने का अभ्यास कीजिए—

1. **अंग-अंग ढीला होना—** बहुत थक जाना।

   वाक्य में प्रयोग— दिनभर भाग-दौड़ करने के कारण मेरा **अंग-अंग ढीला हो रहा है**।

2. **अक्ल का दुश्मन—** मूर्ख व्यक्ति।

   वाक्य में प्रयोग— मोहन तुम तो पूरे **अक्ल के दुश्मन** हो, तुम्हें समझाना बेकार है।

3. **आँखें चुराना—** बचकर निकल जाना।

   वाक्य में प्रयोग— तुम मुझसे क्यों **आँख चुराते** हो।

4. **आग में घी डालना—** क्रोध को भड़काना।

   वाक्य में प्रयोग— तुम्हारी लड़ाई ने **आग में घी डालने** का काम किया।

5. **अगर-मगर करना—** टाल-मटोल करना।

   वाक्य में प्रयोग— अंगद तुम हर काम में **अगर-मगर** करते रहते हो।

6. **कलई खुलना—** पोल खुल जाना।

   वाक्य में प्रयोग— तुम चुप रहो, वर्ना मैं तुम्हारी सारी **कलई खोल दूँगा**।

7. **कलेज़े का टुकड़ा—** बहुत प्यारा।

   वाक्य में प्रयोग— संतान माता-पिता के **कलेज़े का टुकड़ा** होती है।

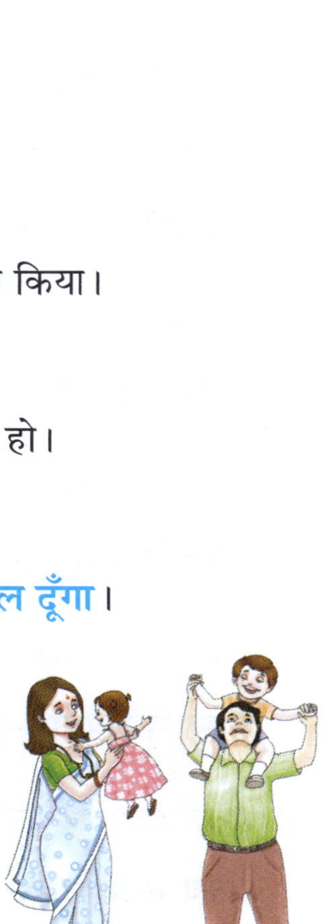

8. **चिकना घड़ा होना**— ढीठ व्यक्ति।

वाक्य में प्रयोग— प्रशांत तो पूरा **चिकना घड़ा** है, उस पर किसी बात का प्रभाव नहीं पड़ता।

9. **टूट पड़ना**— हमला कर देना।

वाक्य में प्रयोग— हमारी सेना अचानक दुश्मनों पर **टूट पड़ी**।

10. **घी के दिए जलाना**— खुशियाँ मनाना।

वाक्य में प्रयोग— परीक्षा में प्रथम आने पर मेरे घर में **घी के दिए जलाए** गए।

11. **छक्के छुड़ाना**— बुरी तरह हराना।

वाक्य में प्रयोग— हमारी टीम ने मैच में विपक्षी टीम के **छक्के छुड़ा** दिए।

12. **हवा से बातें करना**— बहुत तेज़ दौड़ना।

वाक्य में प्रयोग— राणा प्रताप का घोड़ा **हवा से बातें करता** था।

13. **कमर कसना**— पूरी तरह से तैयार होना।

वाक्य में प्रयोग— मैंने परीक्षा के लिए **कमर कस** ली है।

14. **कान भरना**— चुगली करना।

वाक्य में प्रयोग— चाची की **कान भरने** की आदत ठीक नहीं है।

15. **लाल-पीला होना**— बहुत गुस्सा होना।

वाक्य में प्रयोग— वह छोटी-छोटी बातों पर **लाल-पीला** हो जाता है।

16. **पहाड़ टूटना**— भारी मुसीबत आ जाना।

वाक्य में प्रयोग— पिता की अचानक मृत्यु से अभिनव पर **पहाड़ टूट पड़ा** है।

17. **दाद देना**— प्रशंसा करना।

वाक्य में प्रयोग— सुंदर पेंटिंग के लिए सभी मोहन की **दाद देने** लगे।

18. **डंका बजाना**— प्रभाव जमाना

वाक्य में प्रयोग— भारत ने सब देशों की टीमों को हरा कर अपना **डंका बजा** दिया।

19. **हाथ-पाँव मारना**—प्रयास करना

वाक्य में प्रयोग—रामू ने नौकरी के लिए बहुत **हाथ-पाँव मारे** पर उसे कहीं नौकरी नहीं मिली।

20. **साँप सूँघ जाना**—गुप-चुप हो जाना।

वाक्य में प्रयोग—पिता के डाँटने पर सूरज को **साँप सूँघ** गया।

आओ दोहराएँ

- मुहावरों के प्रयोग से भाषा अधिक प्रभावशाली बन जाती है।
- मुहावरे वाक्यांश होते हैं।

अभ्यास

1. सही विकल्प चुनिए—

(क) किसी का 'प्रेमपूर्वक स्वागत करने के लिए' किस मुहावरे का प्रयोग ठीक रहेगा?

(*i*) आँखें बिछाना (*ii*) आँखें चुराना (*iii*) आँखें मिलाना (*iv*) आँखें दिखाना

(ख) 'जरा-सा भी नुकसान न होना' अर्थ को प्रकट करने वाला सही मुहावरा कौन-सा है?

(*i*) ईंट से ईंट बजाना (*ii*) बाल भी बाँका न होना

(*iii*) जले पर नमक छिड़कना (*iv*) टकरा जाना

(ग) 'गाल बजाना' मुहावरे का सटीक प्रयोग किस वाक्य में हुआ है?

(*i*) गाल बजाना अच्छी आदत है।

(*ii*) उसकी बातों पर ध्यान मत देना क्योंकि वह तो गाल बजाता रहता है।

(*iii*) गाल बजाकर काम निकाल लेना।

(*iv*) तुम तो गाल बजाते रहते हो।

(घ) रिक्त स्थान भरने के लिए सही मुहावरा होगा—

परीक्षा में प्रथम आने के लिए नीरज ने ________________ दिया।

(*i*) दिन-रात एक कर देना (*ii*) बाएँ हाथ का खेल होना

(*iii*) फूला न समाना (*iv*) हवा से बातें करना

2. निम्नलिखित मुहावरों के अर्थ बताइए—

(क) अंग-अंग ढीला होना — ____________________

(ख) अक्ल का दुश्मन — ____________________

(ग) कलेजे का टुकड़ा — ____________________

(घ) टूट पड़ना — ____________________

(ङ) हवा से बातें करना — ____________________

3. इन मुहावरों का वाक्यों में प्रयोग कीजिए—

(क) **आँसू पोंछना** (हिम्मत बँधाना)

वाक्य में प्रयोग— ____________________

____

(ख) **गुड़-गोबर करना** (काम बिगाड़ देना)

वाक्य में प्रयोग— ____________________

____

(ग) **ईद का चाँद होना** (बहुत दिनों बाद दिखाई देना)

वाक्य में प्रयोग— ____________________

____

(घ) **अँगूठा दिखाना** (साफ़ मना कर देना)

वाक्य में प्रयोग— ____________________

____

(ङ) **आँख लगना** (नींद आ जाना)

वाक्य में प्रयोग— ____________________

____

4. सही के आगे (✔) तथा गलत के आगे (✗) का चिह्न लगाइए—

(क) आग में घी डालना = आग को और तेज जलाना ☐

(ख) चिकना घड़ा होना = ढीठ व्यक्ति ☐

(ग) लाल-पीला होना = बहुत गुस्सा होना ☐

(घ) कलई खुलना = बँधी गठरी खुलना ☐

(ङ) पहाड़ टूटना = बड़ा भवन ध्वस्त होना ☐

रचनात्मक गतिविधि

- किट्टू बड़ी उलझन में है। उसकी मदद के लिए बीच में लिखे मुहावरों को उनके अर्थ वाले गुब्बारे से जोड़िए—

13

अंक ज्ञान (१ से १०० तक)

(Number Knowledge)

अंग्रेज़ी अंक	हिंदी अंक	शब्दों में अंक (हिंदी में)	शब्दों में अंक (अंग्रेज़ी में)
1	१	एक	One
2	२	दो	Two
3	३	तीन	Three
4	४	चार	Four
5	५	पाँच	Five
6	६	छह	Six
7	७	सात	Seven
8	८	आठ	Eight
9	९	नौ	Nine
10	१०	दस	Ten
11	११	ग्यारह	Eleven
12	१२	बारह	Twelve
13	१३	तेरह	Thirteen
14	१४	चौदह	Fourteen
15	१५	पंद्रह	Fifteen
16	१६	सोलह	Sixteen
17	१७	सत्रह	Seventeen
18	१८	अठारह	Eighteen
19	१९	उन्नीस	Nineteen
20	२०	बीस	Twenty

अंग्रेज़ी अंक	हिंदी अंक	शब्दों में अंक (हिंदी में)	शब्दों में अंक (अंग्रेज़ी में)
21	२१	इक्कीस	Twenty One
22	२२	बाईस	Twenty Two
23	२३	तेईस	Twenty Three
24	२४	चौबीस	Twenty Four
25	२५	पच्चीस	Twenty Five
26	२६	छब्बीस	Twenty Six
27	२७	सत्ताईस	Twenty Seven
28	२८	अट्ठाईस	Twenty Eight
29	२९	उनतीस	Twenty Nine
30	३०	तीस	Thirty
31	३१	इकतीस	Thirty One
32	३२	बत्तीस	Thirty Two
33	३३	तैंतीस	Thirty Three
34	३४	चौंतीस	Thirty Four
35	३५	पैंतीस	Thirty Five
36	३६	छत्तीस	Thirty Six
37	३७	सैंतीस	Thirty Seven
38	३८	अड़तीस	Thirty Eight
39	३९	उनतालीस	Thirty Nine
40	४०	चालीस	Forty
41	४१	इकतालीस	Forty One
42	४२	बयालीस	Forty Two
43	४३	तैंतालीस	Forty Three
44	४४	चवालीस	Forty Four
45	४५	पैंतालीस	Forty Five
46	४६	छियालीस	Forty Six
47	४७	सैंतालीस	Forty Seven

अंग्रेज़ी अंक	हिंदी अंक	शब्दों में अंक (हिंदी में)	शब्दों में अंक (अंग्रेज़ी में)
48	४८	अड़तालीस	Forty Eight
49	४९	उनचास	Forty Nine
50	५०	पचास	Fifty
51	५१	इक्यावन	Fifty One
52	५२	बावन	Fifty Two
53	५३	तिरपन	Fifty Three
54	५४	चौवन	Fifty Four
55	५५	पचपन	Fifty Five
56	५६	छप्पन	Fifty Six
57	५७	सत्तावन	Fifty Seven
58	५८	अट्ठावन	Fifty Eight
59	५९	उनसठ	Fifty Nine
60	६०	साठ	Sixty
61	६१	इकसठ	Sixty One
62	६२	बासठ	Sixty Two
63	६३	तिरसठ	Sixty Three
64	६४	चौंसठ	Sixty Four
65	६५	पैंसठ	Sixty Five
66	६६	छियासठ	Sixty Six
67	६७	सड़सठ	Sixty Seven
68	६८	अड़सठ	Sixty Eight
69	६९	उनहत्तर	Sixty Nine
70	७०	सत्तर	Seventy
71	७१	इकहत्तर	Seventy One
72	७२	बहत्तर	Seventy Two
73	७३	तिहत्तर	Seventy Three
74	७४	चौहत्तर	Seventy Four

अंग्रेज़ी अंक	हिंदी अंक	शब्दों में अंक (हिंदी में)	शब्दों में अंक (अंग्रेज़ी में)
75	७५	पचहत्तर	Seventy Five
76	७६	छिहत्तर	Seventy Six
77	७७	सतहत्तर	Seventy Seven
78	७८	अठहत्तर	Seventy Eight
79	७९	उनासी	Seventy Nine
80	८०	अस्सी	Eighty
81	८१	इक्यासी	Eighty One
82	८२	बयासी	Eighty Two
83	८३	तिरासी	Eighty Three
84	८४	चौरासी	Eighty Four
85	८५	पिचासी	Eighty Five
86	८६	छियासी	Eighty Six
87	८७	सतासी	Eighty Seven
88	८८	अठासी	Eighty Eight
89	८९	नवासी	Eighty Nine
90	९०	नब्बे	Ninety
91	९१	इक्यानवे	Ninety One
92	९२	बयानवे	Ninety Two
93	९३	तिरानवे	Ninety Three
94	९४	चौरानवे	Ninety Four
95	९५	पिचानवे	Ninety Five
96	९६	छियानवे	Ninety Six
97	९७	सतानवे	Ninety Seven
98	९८	अठानवे	Ninety Eight
99	९९	निन्यानवे	Ninety Nine
100	१००	सौ	Hundred

अभ्यास

1. सही विकल्प चुनिए—

(क) बासठ

(*i*) ७१ (*ii*) ५२ (*iii*) ६२ (*iv*) ८१

(ख) हिंदी में '25' कैसे लिखते हैं?

(*i*) ३५ (*ii*) २५ (*iii*) ४५ (*iv*) ६५

(ग) '४४' यह कौन-सा अंक है?

(*i*) बयासी (*ii*) चौरासी (*iii*) सत्तर (*iv*) चवालीस

(घ) '३६' को शब्दों में कैसे लिखते हैं?

(*i*) अड़तालीस (*ii*) छत्तीस (*iii*) साठ (*iv*) बावन

(ङ) '98' को हिंदी गिनती में लिखते हैं—

(*i*) ५६ (*ii*) ७० (*iii*) १८ (*iv*) २३

2. सही मिलान कीजिए—

(क) नवासी	(*i*) २९
(ख) पचपन	(*ii*) १६
(ग) चौंसठ	(*iii*) ८९
(घ) सोलह	(*iv*) ५५
(ङ) उनतीस	(*v*) ६४

3. सही संख्या लिखकर वाक्य पूरे कीजिए—

(क) एक दर्जन में ____________ केले होते हैं। **(बारह, तेरह)**

(ख) हमारे मुँह में ____________ (३२) दाँत होते हैं। **(पैंतीस, बत्तीस)**

(ग) हमारे दोनों हाथों में ____________ अंगुलियाँ होती हैं। **(बीस, दस)**

(घ) अठहत्तर के बाद ____________ आता है। **(नवासी, उनासी)**

(ङ) बावन से पहले ____________ आता है। **(पचास, इक्यावन)**

4. निम्नलिखित प्रश्नों के उत्तर लिखिए—

(क) क्या सभी अंकों को हिंदी में लिखा जा सकता है?

(ख) अंक '१००' से पहले क्या आता है?

(ग) अंक '65' को शब्दों में लिखिए।

रचनात्मक गतिविधि

1. १ से १०० तक हिंदी में गिनती अपनी अभ्यास-पुस्तिका में लिखिए और शिक्षक को दिखाइए।

2. निम्नलिखित हिंदी अंकों को पहचानिए और उतने ही निम्नांकित वस्तुओं के चित्र डिब्बों में बनाइए और उनमें रंग भरिए—

स्ट्रॉबेरी

९

गुब्बारे

३

सितारे

५

पेंसिल

७

यूनिट टेस्ट-II

(अध्याय 10 से 13 पर आधारित)

1. सही विकल्प चुनिए—

(क) 'शास्त्री जी महान व्यक्ति थे।' —यह वाक्य किस वचन में है?

(*i*) बहुवचन में (*ii*) एकवचन में

(*iii*) आदरार्थ बहुवचन में (*iv*) अन्य

(ख) निम्न में शुद्ध वाक्य है—

(*i*) मैं मेरा काम कर रहा हूँ। (*ii*) मेरा काम मैं कर रहा हूँ।

(*iii*) मैं अपना काम कर रहा हूँ। (*iv*) कर रहा हूँ मैं अपना काम

(ग) 'क्रोध को भड़काना' के लिए उचित मुहावरा है—

(*i*) 
आग में घी डालना

(*ii*) 
अँगूठा दिखाना

(*iii*) 
ईद का चाँद होना

(*iv*) 
चिकना घड़ा होना

(घ) '२२' इस अंक को हिंदी में क्या कहते हैं?

(*i*) चौदह (*ii*) ग्यारह (*iii*) बाईस (*iv*) सत्रह

(ङ) नीचे दिए हिंदी अंकों में से 'तैंतीस' अंक है—

(*i*) २६ (*ii*) ३३ (*iii*) ३६ (*iv*) २०

2. सही शब्द चुनकर रिक्त स्थानों की पूर्ति कीजिए—

(क) हिमालय से अनेक ____________ निकलती हैं। **(नदी, नदियाँ)**

(ख) जब शब्दों का प्रयोग वाक्य में होता है तो वे ____________ कहलाते हैं। **(पद, संज्ञा)**

(ग) व्याकरण के नियमों से वाक्य ____________ होता है। **(शुद्ध, अशुद्ध)**

(घ) 'डंका बजाना' मुहावरे का अर्थ ____________ होता है। **(प्रशंसा करना, प्रभाव जमाना)**

(ङ) '५५' हिंदी में ____________ होता है। **(पचपन, साठ)**

3. इन वाक्यों के वचन बताइए—

(क) दादाजी सो रहे हैं। ____________

(ख) राजा का हृदय पिघल गया। ____________

(ग) उसके साथी फल तोड़ने लगे। ____________

(घ) बच्चे खेल रहे हैं। ____________

4. नीचे लिखे वाक्यों में शब्दों को सही क्रम में लिखिए—

(क) रहा था खाना खा पंकज।

(ख) खाना बनाएगी माँ थोड़ी देर में।

(ग) बच्चों को काटकर दो सेब।

5. निम्नलिखित मुहावरों के अर्थ बताइए—

(क) अक्ल का दुश्मन

(ख) हवा से बातें करना

6. नीचे दिए हिंदी अंकों का सही मिलान कीजिए—

(क) ६	(*i*) तीस
(ख) ८१	(*ii*) चौवन
(ग) २०	(*iii*) छह
(घ) ५४	(*iv*) इक्यासी
(ङ) ३०	(*v*) बीस

7. निम्नलिखित प्रश्नों के उत्तर लिखिए—

(क) वचन किसे कहते हैं?

(ख) वचन के कितने भेद हैं? उनके नाम लिखिए।

(ग) वाक्य से तुम क्या समझते हो?

(घ) मुहावरों के प्रयोग से भाषा पर क्या प्रभाव पड़ता है?

14 कहानी लेखन
(Story Writing)

बच्चो, जिस प्रकार से हम कहानी कहते और सुनते हैं, ठीक उसी प्रकार कहानी को लिख और पढ़ भी सकते हैं। कहानी लिखना भी एक महत्वपूर्ण कला है।

कहानी लिखते समय निम्नलिखित बातों का ध्यान रखना चाहिए—

- कहानी का शीर्षक सार्थक होना चाहिए।
- कहानी का आरंभ आकर्षक होना चाहिए।
- कहानी की भाषा सरल और सरस होनी चाहिए।
- कहानी के वाक्य छोटे तथा क्रमबद्ध होने चाहिए।
- कहानी का उद्देश्य स्पष्ट होना चाहिए।
- कहानी शिक्षाप्रद होनी चाहिए।

कहानी लेखन के कुछ उदाहरण

1. चतुर कछुआ

एक बार की बात है, एक राजा अपने नौकरों के साथ नदी-स्नान के लिए गया। राजा जब नदी में नहाने लगा तो उसने देखा नदी के किनारे एक कछुआ रेत में बैठा धूप का मज़ा ले रहा है। उधर कछुए की निगाह राजा पर थी। जैसे ही राजा ने नहाने के बाद सिर पर पगड़ी पहनी, कछुआ उछलकर राजा की पगड़ी पर जा बैठा।

यह देखकर नौकर चिल्लाए—"राजा जी की पगड़ी पर कछुआ, राजा जी की पगड़ी पर कछुआ" यह सुनकर राजा को बड़ा क्रोध आया। उसने कछुए को सज़ा देने का निश्चय किया।

राजा नौकरों से बोला—"इस कछुए को उठाकर उलटा कर दो।" यह सुनकर कछुआ बोला—"हाँ-हाँ, कर दो। बड़ा मज़ा आएगा। बहुत दिनों बाद मेरे पेट को धूप लगेगी।"

यह सुनकर राजा का गुस्सा और बढ़ गया। उसने नौकरों से कहा, "इसकी पीठ पर खूब डंडे मारो।" कछुआ बोला, "यह तो और भी अच्छा रहेगा। मेरी पीठ का दर्द ठीक हो जाएगा।"

राजा गुस्से में बोला—"इस कछुए को उठाकर पत्थर पर पटक दो।" कछुआ बोला—"आपकी जो इच्छा हो, वह करो। पर मुझे पानी में मत फेंकना। पानी से मुझे बहुत डर लगता है।"

राजा बौखला गया। उसने नौकरों से कहा, "अच्छा यह बात है। तब तो मैं तुझे पानी में ही फेंकूँगा।"

इतना कहकर राजा ने बिना सोचे-समझे कछुए को अपने हाथों में उठाया और नदी के पानी में फेंक दिया। कछुआ राजा की मूर्खता पर हँस रहा था। वह तो पानी में ही जाना चाहता था। वह अपनी चतुराई से अपने घर जाने में सफल हो गया।

शिक्षा—मुसीबत के समय चतुराई बरतने से सफलता मिलती है।

2. सच्चा मित्र

एक गाँव में एक किसान रहता था। उसका नाम था—रामसिंह। गाँव के सभी लोग उसका सम्मान करते थे। वह सभी के साथ मिल-जुलकर रहता था। उसका एक पुत्र था—मदन। वह हर समय अपने स्वार्थी दोस्तों से घिरा रहता था और रात को देर से घर लौटता था। जब पिता रामसिंह ने उसे टोका तो वह बोला—"मैं कहीं आवारागर्दी नहीं करता। मित्रों से मिलने-जुलने में देर हो ही जाती है।"

पिता ने पूछा, "ऐसे तुम्हारे कितने मित्र हैं?" पुत्र ने सफाई दी, "अब आपको क्या बताऊँ? मेरे मित्रों की संख्या बहुत अधिक है।" पिता ने प्रश्न किया, "क्या तुम्हारे ये मित्र मुसीबत में तुम्हारा साथ देंगे?" पुत्र तुरंत बोला—"क्यों नहीं?

मेरे मित्र मेरे लिए अपनी जान भी दे सकते हैं। वे मेरे सच्चे मित्र हैं।" रामसिंह ने कहा, "अच्छा, तुम अपने मित्रों को कल रात दो बजे गाँव के बाहर पीपल के पेड़ के पास बुलाओ। मैं देखना चाहता हूँ कि तुम्हारे कितने मित्र वहाँ पहुँचते हैं?"

पुत्र ने पिता की बात मानकर अपने मित्रों को रात के समय उसी स्थान पर आने के लिए कह दिया। ठंड का मौसम था। रामसिंह काला कंबल ओढ़कर पुत्र के साथ पीपल के पेड़ के नीचे बैठ गया। दो बज गए, तीन बज गए........ प्रातः तक वहाँ कोई नहीं आया। पुत्र बड़ा लज्जित हुआ। रामसिंह ने कहा, "बेटा, तुमने अपने मित्रों का हाल देख लिया। अब चलो, मैं तुम्हें अपने मित्रों से मिलवाता हूँ।"

अगले दिन आधी रात को रामसिंह अपने पुत्र को एक बनिए के घर ले गया। दरवाज़ा खटखटाने पर बनिए ने भीतर से पूछा, "कौन है?" "मैं रामसिंह...... मुझे कुछ रुपयों की आवश्यकता है।" "मैं अभी आता हूँ।" थोड़ी ही देर में बनिया हाथ में रुपयों की थैली लेकर बाहर आया। थैली रामसिंह के हाथ में रखते हुए बोला, "इस थैली में पाँच सौ रुपए हैं। बताओ, और कितने रुपए चाहिए?"

अब रामसिंह एक पहलवान के घर पहुँचे। वहाँ पहुँचकर रामसिंह ने पुकारा—"पहलवान, जल्दी बाहर आओ।" रामसिंह की आवाज़ सुनकर पहलवान बाहर आया और बोला—"चलो, मुझे दिखाओ कि तुम्हें कौन परेशान कर रहा है, मैं अभी उसे मज़ा चखा दूँगा।"

अब रामसिंह ने अपने बेटे को बताया—"यह पहलवान मेरा दूसरा मित्र है। यह मेरे लिए कुछ भी करने को तैयार रहता है। बिना बताए ही यह जान जाता है कि मैं किसी मुसीबत में हूँ। बेटा उसकी बातें ध्यान से सुनता रहा। पिता ने उसे समझाया—"बेटा, मित्रों की भीड़ जमा करने का कोई लाभ नहीं है। खूब जाँच-परखकर किसी को अपना मित्र बनाना चाहिए। सच्चा मित्र खजाने के समान होता है। वह विपत्ति में हमारे काम आता है।" अब पुत्र की आँखें खुल गईं।

शिक्षा— बहुत सोच-समझकर, जाँच-परखकर ही किसी को मित्र बनाना चाहिए।

अभ्यास

दिए गए संकेतों के आधार पर कहानी लिखिए—

1. एकता में बल है

• एक किसान के चार बेटे • आपस में लड़ते-झगड़ते • समझाना व्यर्थ रहा • किसान बीमार पड़ गया • पुत्रों को अंतिम बार समझाने का प्रयास • लकड़ियों का गट्ठर मँगवाना • गट्ठर तोड़ने के लिए पुत्रों से कहना • असफल रहना • गट्ठर खुलवाना • एक-एक लकड़ी पुत्रों को देना • तोड़ने के लिए कहना • पुत्रों द्वारा अकेली लकड़ी तोड़ देना • पिता द्वारा समझाना • एक होकर रहोगे तो कोई तुम्हारा कुछ न बिगाड़ पाएगा • पिता की मृत्यु।

2. जैसी करनी वैसी भरनी

• एक बार की बात • गाँव में राधिका नाम की लड़की • परोपकारी दयालु स्वभाव। • जरूरतमंदों की मदद • लकड़ी इकट्ठा करना • बूढ़ी औरत मिलना • लड़की द्वारा खाना-पानी देना • बुढ़िया का प्रभावित होना • जादुई बीज • बीज बोना • पौधा उगना • खूब फूल खिलना • फल में सोने के सिक्के मिलना • राधिका का खुश होना।

15 अपठित गद्यांश
(Unseen Passage)

अपठित का अर्थ है जिसे पहले न पढ़ा गया हो और जिस पर आधारित कुछ प्रश्न पूछे जाते हैं।

निम्नलिखित गद्यांश को पढ़कर पूछे गए प्रश्नों के सही उत्तर छाँटकर लिखिए—

1. सोमेश के पास किट्टी नाम की एक पालतू बिल्ली है। वह सफेद और काले रंग की है। सोमेश को बिल्ली के साथ घर के आँगन में खेलना अच्छा लगता है। वे गेंद के साथ खेलते हैं। जब सोमेश किट्टी को बुलाता है तो वह दौड़कर आ जाती है। सोमेश अपनी बिल्ली से बहुत प्यार करता है।

(क) सोमेश की पालतू बिल्ली का नाम क्या है?

(*i*) जूली (*ii*) किट्टी (*iii*) मिष्टी (*iv*) रानी

(ख) बिल्ली किस रंग की है?

(*i*) सफेद (*ii*) काले (*iii*) लाल (*iv*) दोनों (*i*) और (*ii*)

(ग) सोमेश और किट्टी कहाँ खेलते हैं?

(*i*) घर में (*ii*) आँगन में (*iii*) पार्क में (*iv*) छत पर

(घ) वे दोनों किससे खेलते हैं?

(*i*) गेंद से (*ii*) बोतल से (*iii*) बैट से (*iv*) चम्मच से

(ङ) 'सोमेश अपनी बिल्ली को बहुत प्यार करता है।' वाक्य में रेखांकित शब्द क्या है?

(*i*) संज्ञा (*ii*) सर्वनाम (*iii*) विशेषण (*iv*) क्रिया

2. कश्मीर की घाटी संसार की सुंदर घाटियों में से एक है। यहाँ कहीं पहाड़ों में से गिरते झरने दिखाई देते हैं, तो कहीं मीठे पानी की झीलें हैं। कहीं केसर की क्यारियाँ हैं तो कहीं धान के हरे-भरे खेत हैं। यहाँ चिनार के विशाल वृक्ष हैं। यहाँ सेब भरपूर मात्रा में होता है। कश्मीर का शालीमार बाग बादशाह जहाँगीर ने लगवाया था।

(क) झरने कहाँ से गिरते दिखाई देते हैं?

(*i*) पहाड़ों से (*ii*) वृक्षों से (*iii*) मैदानों से (*iv*) पत्थरों से

(ख) कश्मीर की घाटी कैसी है?

(*i*) संसार की सबसे सुंदर घाटी (*ii*) संसार की सुंदर घाटियों में से एक

(*iii*) संकरी घाटी (*iv*) पथरीली घाटी

(ग) यहाँ किसकी क्यारियाँ हैं?

(*i*) धान की (*ii*) केसर की (*iii*) फूलों की (*iv*) चिनार की

(घ) 'विशाल वृक्ष'—रेखांकित शब्द क्या है?

(*i*) संज्ञा (*ii*) सर्वनाम (*iii*) विशेषण (*iv*) क्रिया

(ङ) शालीमार बाग किसने लगवाया था?

(*i*) जहाँगीर ने (*ii*) अकबर ने

(*iii*) शाहजहाँ ने (*iv*) इनमें से किसी ने नहीं

अभ्यास

- **निम्नलिखित गद्यांश को पढ़कर दिए गए प्रश्नों के उत्तर छाँटकर लिखिए—**

एक बार की बात है, एक राजा अपने सेवकों के साथ नदी-स्नान के लिए गया। वस्त्र उतारकर राजा नदी के पानी में उतर गया और नहाने लगा। नदी के किनारे एक कछुआ रेत में बैठा धूप का मज़ा ले रहा था। नहाने के बाद राजा ने वस्त्र पहनकर जैसे ही पगड़ी पहनी, कछुआ उछलकर राजा की पगड़ी पर बैठ गया।

(क) राजा किसके साथ स्नान करने गया था?

(*i*) रानी के साथ (*ii*) राजकुमार के साथ (*iii*) सेवकों के साथ (*iv*) अकेले

(ख) रेत पर कौन धूप का मज़ा ले रहा था?

(*i*) मेंढक (*ii*) मगरमच्छ (*iii*) कछुआ (*iv*) मछली

(ग) कछुए ने राजा के नहाने के बाद क्या किया?

(*i*) राजा के कंधे पर बैठ गया (*ii*) राजा की पगड़ी पर बैठ गया

(*iii*) राजा के जूते में घुस गया (*iv*) राजा के कपड़ों में घुस गया

(घ) राजा कहाँ नहाने गया था?

(*i*) कुएँ में (*ii*) समुद्र में (*iii*) नदी में (*iv*) तालाब में

16 पत्र लेखन
(Letter Writing)

पत्र लेखन एक कला है। प्राय: हम आकस्मिक अवकाश, प्रमाणपत्र आदि के लिए प्रधानाचार्य को तथा बधाई, शुभ संदेश आदि देने के लिए मित्र एवं रिश्तेदार आदि को पत्र लिखते हैं।

पत्र लेखन के कुछ उदाहरण

1. प्रधानाचार्य को अवकाश के लिए प्रार्थना पत्र लिखिए।

सेवा में,

प्रधानाचार्य,
भारती पब्लिक स्कूल,
नई दिल्ली।

दिनांक ....

विषय : प्रधानाचार्य को अवकाश के लिए प्रार्थना पत्र।

महोदय,

सविनय निवेदन है कि कल दिनांक ____________ को मेरी बड़ी बहन का विवाह है। घर में काफी अतिथि आए हुए हैं। मुझे उनकी देखभाल करनी है। अगले दो दिनों तक भी मैं विवाह समारोह के कार्यों में व्यस्त रहूँगा।

अत: आपसे विनम्र प्रार्थना है कि मुझे दिनांक ____________ से ____________ तक तीन दिन का अवकाश प्रदान कर कृतार्थ करें। मैं आपको विश्वास दिलाता हूँ कि इन तीन दिनों की पढ़ाई की कमी को मैं इसी सप्ताह पूरी कर लूँगा।

धन्यवाद सहित,

आपका आज्ञाकारी शिष्य

____

कक्षा ____________

2. मित्र को जन्मदिन की बधाई देते हुए पत्र लिखिए।

5/62, कृष्णा नगर,
नई दिल्ली।

दिनांक ....

प्रिय मित्र मनोहर,
सप्रेम–नमस्ते।

तुम्हारे जन्मदिन का निमंत्रण–पत्र मिला। सबसे पहले मैं तुम्हें जन्मदिन की हार्दिक बधाई देता हूँ। ईश्वर तुम्हें स्वस्थ एवं सुखी रखे। तुम्हें लंबी आयु प्राप्त हो तथा तुम्हें जीवन में सफलता मिलती रहे।

मैं तुम्हें एक उपहार भिजवा रहा हूँ। आशा है तुम्हें पसंद आएगा। इन दिनों माताजी अस्वस्थ चल रही हैं इसलिए मैं स्वयं नहीं आ पाऊँगा। आशा है तुम क्षमा कर दोगे।

एक बार जन्मदिन की पुनः बधाई।

तुम्हारा अभिन्न मित्र
प्रकाश

3. रुपए भिजवाने के लिए पिता जी को पत्र लिखिए।

डलहौजी छात्रावास,
नैनीताल।

दिनांक ....

पूज्य पिता जी,
चरण स्पर्श।

आपका कृपा–पत्र मिला। मैं यहाँ पूरी तरह से स्वस्थ एवं प्रसन्न हूँ। हमारी पढ़ाई तेज़ गति से हो रही है। मैं वार्षिक परीक्षा की तैयारी में जुटा हूँ। मुझे कुछ आवश्यक पाठ्य–सामग्री खरीदनी है। सर्दियों के कुछ कपड़े भी लेने हैं।

यदि आप दो हज़ार रुपए भिजवाने की कृपा करेंगे तो मैं ये सभी चीज़ें खरीद पाऊँगा। आशा है आप मनीआर्डर द्वारा यह राशि भिजवा देंगे।

माता जी को सादर–प्रणाम एवं छोटी बहन को आशीष।

आपका प्रिय पुत्र

अभ्यास

पत्र लिखें—

1. पत्र लिखकर अपने मित्र/अपनी सखी को अपने जन्मदिन पर आमंत्रित कीजिए।
2. आपके चाचा जी ने आपके जन्मदिन पर उपहार भेजा है, उन्हें धन्यवाद देते हुए पत्र लिखिए।
3. विद्यालय में देर से आने के लिए क्षमा माँगते हुए अपने अध्यापक को पत्र लिखिए।
4. विद्यालय में मनाए गए गणतंत्र दिवस के बारे में बताते हुए अपने बड़े भाई को पत्र लिखिए।
5. विद्यालय में खेल प्रतियोगिता आयोजित करवाने के लिए प्रधानाचार्य को प्रार्थना पत्र लिखिए।

अनुच्छेद लेखन
(Paragraph Writing)

17

किसी एक भाव या विचार पर लिखा गया लेख **अनुच्छेद** कहलाता है। निबंध की तुलना में अनुच्छेद कम शब्दों में लिखा जाता है। अनुच्छेद लेखन के कुछ उदाहरण—

1. प्रात:काल का दृश्य

प्रात:काल का दृश्य बड़ा ही मनमोहक होता है। प्रात:काल धीमी-धीमी हवा चलती है। इससे हमारा चित्त प्रसन्न हो जाता है। प्रात:काल सैर करने में आनंद आता है। जैसे ही सूर्योदय होता है, अँधेरा मिट जाता है। पहले सूर्य की लालिमा फैलती है फिर रंग पीला हो जाता है। धीरे-धीरे आकाश में सूर्य सफेद गोले की तरह चमकता दिखाई देने लगता है। पक्षियों की चहचहाहट कानों को बड़ी अच्छी लगती है। प्रात:काल का दृश्य मन को ताज़गी से भर देता है।

2. मेरा कंप्यूटर

मेरे पास एक कंप्यूटर है। मुझे कंप्यूटर चलाना खूब आता है। मैंने अपने स्कूल में इसे चलाना सीखा था। अब मैं अपने घर में इसका भरपूर अभ्यास करता हूँ। मैं इस पर पेंट ब्रश कर लेता हूँ। मैं एम.एस.वर्ड पर भी काम कर लेता हूँ। अब तो मैं इंटरनेट का प्रयोग भी करना सीख गया हूँ। इस पर मैं अपनी मनमर्जी की सामग्री ढूँढ़ लेता हूँ। कंप्यूटर पर गेम खेलना मुझे बहुत अच्छा लगता है।

3. जब मैं पिकनिक पर गई/गया

पिकनिक पर जाना सभी को अच्छा लगता है। इस बार मैं भी पिकनिक पर गई। पिछले सप्ताह, स्कूल की ओर से पिकनिक पर इंडिया गेट लेकर गए। हमारी कक्षा की बीस लड़कियाँ तथा तीस लड़के एक बस में गए। पाँच शिक्षिकाएँ भी साथ थीं। हम सभी अपने-अपने घर से खाने की कोई-न-कोई चीज़ लेकर गए थे। रास्तेभर हम वे चीज़ें खाते हुए तथा हल्ला-गुल्ला करते हुए गए। इंडिया गेट पहुँचकर हमने एक स्थान पर अपना सामान रखा। फिर हमने वहाँ भ्रमण एवं नौका विहार किया। दो घंटे तक हमने वहाँ खूब मस्ती की। इसके बाद सभी ने मिलकर खाना खाया। थोड़ी देर विश्राम के बाद नाचने-गाने का प्रोग्राम शुरू हो गया। पूरा दिन मज़े में बीत गया। शाम को हम घर लौट आए।

4. मेरा कुत्ता

मेरे कुत्ते का नाम टॉमी है। उसका रंग भूरा और शरीर मज़बूत है। उसकी आँखें चमकदार हैं। वह दूध-रोटी खाता है। उसके कान लंबे हैं। मुझे देखते ही वह पूँछ हिलाने लगता है। घर में चाहे कोई भी आए, वह भौंकता ज़रूर है। यह हमारे परिवार के सभी सदस्यों को अच्छी तरह पहचानता है। वह हमारे साथ खूब खेलता है। वह हमारे घर की रखवाली करता है।

अभ्यास

निम्नलिखित विषयों पर 80-100 शब्दों में अनुच्छेद लिखिए—

1. दीपावली
2. मेरा मित्र
3. क्रिकेट
4. हमारी कार
5. मेरे माता-पिता

18 निबंध लेखन
(Essay Writing)

निबंध में किसी विषय के बारे में विस्तार से लिखा जाता है। यहाँ संकेत बिंदुओं की सहायता से किसी भी विषय पर निबंध सरलता से लिखा जा सकता है।

निबंध के कुछ उदाहरण इस प्रकार हैं—

1. स्वतंत्रता दिवस (15 अगस्त)

संकेत बिंदु : • भारत के प्रमुख राष्ट्रीय त्योहार • भारत की परतंत्रता • मनाने का ढंग

भारत के दो प्रमुख राष्ट्रीय त्योहार हैं—

स्वतंत्रता दिवस (15 अगस्त) और गणतंत्र दिवस (26 जनवरी)।

स्वतंत्रता दिवस प्रतिवर्ष 15 अगस्त को धूमधाम से मनाया जाता है। 1947 को इसी दिन हमारा देश अंग्रेज़ों की गुलामी से स्वतंत्र हुआ था। परतंत्रता से बड़ा कलंक और कोई नहीं है। राष्ट्रपिता महात्मा गांधी के नेतृत्व में भारतवासियों ने स्वतंत्रता पाने के लिए लंबा आंदोलन किया था। इसमें अनेक शहीदों को फाँसी के फंदे पर चढ़ना पड़ा था। हज़ारों लोग जेल में बंद कर दिए गए थे। उन्हीं की कुर्बानी से हमें आज़ादी का सुख भोगने का अवसर मिल सका है।

इस दिन लालकिले पर प्रधानमंत्री राष्ट्र-ध्वज फहराते हैं। प्रधानमंत्री अपने भाषण में शहीद वीरों को याद करते हैं तथा देश की प्रगति की झाँकी प्रस्तुत करते हैं। इस दिन सभी राज्यों की राजधानियों

में विशेष समारोह होता है। प्रत्येक नगर में तिरंगा झंडा फहराया जाता है। विद्यालयों में भी समारोह होता है। बच्चे प्रात:काल विद्यालय आते हैं। हमारे प्रधानाचार्य विद्यालय भवन पर तिरंगा फहराते हैं। विद्यालय के विद्यार्थी देशभक्ति के गीत गाते हैं तथा तरह-तरह के रंगा-रंग कार्यक्रम भी आयोजित किए जाते हैं। कहीं-कहीं तो खेल प्रतियोगिताएँ भी होती हैं और विजेताओं को पुरस्कार भी बाँटे जाते हैं। अंत में बच्चों को मिठाई बाँटी जाती है। लोग भी घरों से बाहर निकलकर मिठाई बाँटते हैं।

इस दिन हम देश की रक्षा का प्रण लेते हैं।

2. रक्षाबंधन का त्योहार

संकेत बिंदु : • भारतवर्ष त्योहारों का देश • भाई-बहन के प्रेम का प्रतीक • मनाने का ढंग

भारतवर्ष त्योहारों का देश है। यहाँ पूरे वर्ष कोई-न-कोई त्योहार मनाया जाता रहता है। सभी त्योहार हमारे जीवन में प्रसन्नता लाते हैं।

रक्षाबंधन का त्योहार भाई-बहन के पवित्र प्रेम का प्रतीक है। यह प्रतिवर्ष श्रावण मास की पूर्णिमा को मनाया जाता है। इसे श्रावणी भी कहते हैं। इस दिन बहनें अपने भाइयों की कलाई पर राखी बाँधती हैं और रक्षा का वचन लेती हैं। इसीलिए इसे रक्षाबंधन कहा जाता है।

रक्षाबंधन के कई दिन पहले से ही बाज़ार की दुकानें रंग-बिरंगी राखियों से सज जाती हैं। बहनें अपने भाई के लिए सबसे सुंदर राखी और अच्छी से अच्छी मिठाई खरीदती हैं। रक्षाबंधन के दिन बहनें अपने भाई की कलाई पर राखी बाँधकर उसे मिठाई खिलाती हैं। भाई भी अपनी बहनों को उपहार तथा रुपए भेंट में देते हैं। वे अपनी बहनों को पूरा जीवन रक्षा करने का भी भरोसा दिलाते हैं।

इस त्योहार के साथ एक ऐतिहासिक घटना भी जुड़ी है। चित्तौड़ की रक्षा के लिए रानी कर्मवती ने मुगल बादशाह हुमायूँ को राखी भिजवाई थी। हुमायूँ ने राखी का मान रखकर बहादुर शाह से चित्तौड़ की रक्षा की थी।

3. ईद

संकेत बिंदु : • भारत में विविध धर्मों के लोग • ईद से पहले रमजान का महीना • ईद मनाना

हमारे देश में अनेक धर्मों के लोग रहते हैं। सभी धर्मों के अपने-अपने त्योहार हैं। भारत के सभी लोग मिलकर एक-दूसरे के त्योहार मनाते हैं। इससे आपस में एकता एवं प्रेम की भावना बढ़ती है।

ईद मुसलमान भाइयों का प्रमुख त्योहार है। ईद से पहले रमजान का महीना होता है। मुसलमान इस पूरे महीने में रोजे रखते हैं। उनके लिए दिन में खाना तो दूर पानी पीना भी मना रहता है। मुसलमान इस महीने को बड़ा पवित्र मानते हैं। इन दिनों वे कोई गलत काम नहीं करते। रोजा खोलने का वक्त निश्चित होता है।

रोजे खत्म होने पर जब चाँद दिखाई देता है तब अगले दिन ईद मनाई जाती है। इसका पूरा नाम है—'ईद-उल-फितर' अर्थात् खाना-पीना-लौटना। ईद के दिन घरों में सेवइयाँ पकाई जाती हैं तथा बच्चों को पहनने के लिए नए-नए कपड़े मिलते हैं। लोग एक-दूसरे के गले लगकर 'ईद मुबारक' कहते हैं। इस दिन ईदगाह तथा मसजिदों में सामूहिक रूप से नमाज़ पढ़ी जाती है। यह दृश्य देखने लायक होता है। इस अवसर पर जगह-जगह मेले भी लगते हैं।

यह त्योहार प्रेम-भाव बढ़ाता है।

4. मेरा प्रिय मित्र

संकेत बिंदु : • मित्र का परिचय • मित्र के गुण • सच्चे मित्र की पहचान

भावेश मेरा प्रिय मित्र है। वह मेरी ही कक्षा में पढ़ता है। हम दोनों पास-पास रहते हैं। भावेश के पिता डॉक्टर हैं और उसकी माता जी अध्यापिका हैं। हम दोनों मित्र एक साथ प्रात:काल सैर करने जाते हैं।

भावेश पढ़ाई में बहुत होशियार है। वह गणित के प्रश्न हल करने में मेरी मदद करता है। उसका

लेख बहुत सुंदर है। वह अन्य बालकों की सहायता भी करता रहता है। उसका व्यवहार सभी के साथ अच्छा है। कभी कोई उसकी शिकायत नहीं करता।

मेरा मित्र खेलने में भी अच्छा है। वह खो–खो की टीम में है। पिछली बार उसकी टीम ट्रॉफी जीतकर लाई थी। सच्चा मित्र वह होता है जो मुसीबत की घड़ी में भी हमारे साथ रहता है। कई व्यक्ति लालच में आकर मित्र बन जाते हैं, पर उनकी मित्रता ज्यादा दिन तक टिक नहीं पाती है। मित्र को चुनते समय सावधानी बरतनी चाहिए। सच्चा मित्र भाग्य से मिलता है।

मेरा मित्र भावेश भी सच्चा मित्र है। मुझे उसकी मित्रता पर गर्व है।

5. महात्मा गांधी

संकेत बिंदु : • राष्ट्रपिता महात्मा गांधी • जन्म एवं शिक्षा • देश सेवा, बलिदान

महात्मा गांधी को राष्ट्रपिता के रूप में सम्मान दिया जाता है। उन्होंने भारत को स्वतंत्र कराने में महत्वपूर्ण भूमिका निभाई। भारतवर्ष के इतिहास में उनका नाम सदा अमर रहेगा।

महात्मा गांधी का जन्म 2 अक्टूबर, 1869 को गुजरात के पोरबंदर नामक स्थान पर हुआ था। उनका पूरा नाम मोहनदास करमचंद गांधी था। उनके पिता राजकोट के दीवान थे। भारत में शिक्षा पूरी करने के बाद उन्हें बैरिस्टरी (वकालत) की पढ़ाई करने के लिए इंग्लैंड भेजा गया।

गांधी जी ने वहाँ रहकर भी सादा जीवन बिताया। वकालत की डिग्री लेकर उन्होंने मुंबई में मुकदमे लड़ने शुरू किए। वे झूठे मुकदमें नहीं लेते थे। एक मुकदमे के सिलसिले में उन्हें दक्षिण अफ्रीका जाना

पड़ा। वहाँ उन्होंने भारतीयों पर अंग्रेज़ों के अत्याचार अपनी आँखों से देखे तथा स्वयं भी झेले। तभी से उन्होंने अपने देश को आज़ाद कराने का प्रण लिया।

भारत लौटकर लोगों को अंग्रेज़ी शासन के विरुद्ध संगठित किया। उन्होंने कई बार सत्याग्रह किए तथा जेल-यात्राएँ कीं। उनका 'नमक सत्याग्रह' तथा 1942 में 'भारत छोड़ो' आंदोलन रंग लाया। अंततः 15 अगस्त, 1947 को भारत अंग्रेज़ी शासन से मुक्त हो गया। गांधी जी ने अछूतों के उद्धार, खादी के प्रचार तथा महिलाओं के उत्थान के लिए अनेक कार्य किए।

30 जनवरी, 1948 को नाथूराम गोडसे ने गोली मारकर उनकी हत्या कर दी। उनके मुख से निकले अंतिम शब्द थे—'हे राम'। दिल्ली के राजघाट पर उनकी समाधि बनी हुई है।

6. मेरा प्यारा भारतवर्ष

संकेत बिंदु : • भारत का परिचय • भारत की स्थिति • प्राकृतिक वातावरण, ऋतुएँ

मेरे देश का नाम भारतवर्ष है। इसे भारत भी कहा जाता है। मुझे अपना देश बहुत प्यारा लगता है। यह देश संसार का अनोखा देश है।

मेरा देश अत्यंत प्राचीन है। इस देश में भगवान राम और श्रीकृष्ण ने जन्म लिया था। अनेक ऋषि-मुनियों ने तप करके इसे पवित्र बनाया है। इसी देश की धरती पर वेदों की रचना हुई। ऋग्वेद संसार का सबसे प्राचीन ग्रंथ है।

मेरे देश के उत्तर में हिमालय पर्वत है। जो चीन से भारत की रक्षा करता है। इस पर्वत से गंगा-यमुना जैसी पवित्र नदियाँ निकलकर भारत भूमि को सींचती हैं। यहाँ का प्राकृतिक वातावरण अत्यंत मनमोहक है। मेरे देश के तीन ओर समुद्र लहराता है। मेरे देश के खेतों में अन्न बरसता है। यहाँ हरियाली छाई रहती है। भारत का सूर्योदय और सूर्यास्त देखने लायक होता है। पक्षियों का कलरव मन को प्रसन्न कर देता है।

मेरे देश में सभी ऋतुएँ बारी-बारी से आती रहती हैं। यहाँ न अधिक ठंड पड़ती है और न अधिक गरमी। भारतवर्ष अपने सुहाने मौसम के लिए विश्वभर में जाना जाता है।

मेरा देश शांतिप्रिय है। यहाँ सभी धर्मों के लोग आपस में मिल-जुलकर प्रेमपूर्वक रहते हैं। अनेकता में एकता मेरे देश की विशेषता है। मेरा देश महान है। मुझे अपने देश पर गर्व है।

अभ्यास

निम्न संकेत बिंदुओं की सहायता से निबंध लिखिए।

1. मेरी प्रिय सखी

   संकेत बिंदु • सखी का परिचय • सखी के गुण • सखी का महत्व

2. गुरुपर्व

   संकेत बिंदु • भारत त्योहारों का देश • कब और कैसे मनाते हैं • महत्व

3. गांधी जयंती

   संकेत बिंदु • राष्ट्रीय त्योहार • कब और क्यों मनाया जाता है

4. मेरा प्रिय खेल

   संकेत बिंदु • खेल का परिचय • क्यों अच्छा लगता है • क्या लाभ है

अभ्यास प्रश्न-पत्र-2

(अध्याय 10 से 18 पर आधारित)

1. सही विकल्प चुनिए—

(क) 'मिठाई' का सही बहुवचन रूप क्या है?

(*i*) मिठाइयाँ (*ii*) मिठाइयों

(*iii*) मिठोइयाँ (*iv*) (*i*) और (*ii*) दोनों

(ख) 'मेरे को जाना है।' इसका शुद्ध वाक्य होगा—

(*i*) जाना है मेरे को। (*ii*) मुझे जाना है।

(*iii*) मेरे को है जाना। (*iv*) जाना है मुझे।

(ग) लाल-पीला होने का क्या अर्थ है?

(*i*) बहुत तेज़ दौड़ना (*ii*) तेज़ हवा चलना

(*iii*) बहुत गुस्सा होना (*iv*) सज-धज कर निकलना

(घ) 'गाल बजाना' मुहावरे का सटीक प्रयोग किस वाक्य में हुआ है?

(*i*) गाल बजाना अच्छी आदत है। (*ii*) चाची को तो बस गाल बजाना आता है।

(*iii*) गाल बजाकर काम करना। (*iv*) गाल बजाकर काम निकाल लेना।

(ङ) '४२' का हिंदी शब्द रूप क्या है?

(*i*) बयालिस (*ii*) चालीस (*iii*) बारह (*iv*) चौदह

2. कोष्ठक में से उचित शब्द चुनकर रिक्त स्थान भरिए—

(क) दर्शक ________ पर बैठे हैं। **(कुरसी, कुरसियों)**

(ख) क्रिया वाक्य के ________ में आती है। **(प्रारंभ, अंत)**

(ग) शब्दों का ________ समूह ही वाक्य है। **(सार्थक, व्यर्थ)**

(घ) ________ के प्रयोग से भाषा और प्रभावशाली बन जाती है। **(शब्दों, मुहावरों)**

(ङ) 'कान भरना' मुहावरे का अर्थ है ________। **(बहुत बातें करना, चुगली करना)**

3. सही (✔) या गलत (✗) का चिह्न लगाइए—

(क) 'लड़की' एकवचन शब्द है। ☐

(ख) जब शब्दों का प्रयोग वाक्य में होता है तो वे संज्ञा कहलाते हैं। ☐

(ग) हाथ-पाँव फूलना मुहावरे का अर्थ घबरा जाना है। ☐

(घ) वाक्य के अंत में क्रिया आती है। ☐

4. सही मिलान कीजिए—

(क) सुनील	(*i*) स्त्रीलिंग
(ख) पढ़ना	(*ii*) विशेषण
(ग) कवयित्री	(*iii*) संज्ञा
(घ) बकरियाँ	(*iv*) क्रिया
(ङ) सुंदर	(*v*) बहुवचन

5. निम्नलिखित गद्यांश को पढ़कर दिए गए प्रश्नों के उत्तर बताइए—

एक बार की बात है, एक राजा अपने सेवकों के साथ नदी-स्नान के लिए गया। वस्त्र उतारकर राजा नदी के पानी में उतर गया और नहाने लगा। नदी के किनारे एक कछुआ रेत में बैठा धूप का मज़ा ले रहा था। नहाने के बाद राजा ने वस्त्र पहनकर जैसे ही पगड़ी पहनी, कछुआ उछलकर राजा की पगड़ी पर बैठा गया।

(क) राजा किसके साथ स्नान करने गया था?

(*i*) रानी के साथ (*ii*) राजकुमार के साथ (*iii*) सेवकों के साथ (*iv*) अकेले

(ख) रेत पर कौन धूप का मज़ा ले रहा था?

(*i*) मेंढक (*ii*) मगरमच्छ (*iii*) कछुआ (*iv*) मछली

(ग) कछुए ने राजा के नहाने के बाद क्या किया?

(*i*) राजा के कंधे पर बैठ गया (*ii*) राजा की पगड़ी पर बैठ गया

(*iii*) राजा के जूते में घुस गया (*iv*) राजा के कपड़ों में घुस गया

(घ) राजा कहाँ नहाने गया था?

(*i*) कुएँ में (*ii*) समुद्र में (*iii*) नदी में (*iv*) तालाब में

6. संक्षेप में किसी राजा की कहानी बनाओ।

7. मित्र को पत्र लिखकर उसे अपने प्रथम आने की सूचना दो।

8. 'विद्यालय का पहला दिन' शीर्षक पर पाँच वाक्यों में अनुच्छेद लिखिए।

9. 'मेरा प्रिय मित्र' शीर्षक पर निबंध लिखो।

संकेत बिंदु : • मित्र का परिचय • मित्र के गुण • सच्चे मित्र की पहचान।